Hannes Kilian und Klaus Geitel JOHN CRANKO

Hannes Kilian und Klaus Geitel

John Cranko

Ballett für die Welt

Jan Thorbecke Verlag Sigmaringen

CIP-Kurztitelaufnahme der Deutschen Bibliothek

Kilian, Hannes
John Cranko: Ballett für d. Welt / Hannes Kilian;
Klaus Geitel. – 1. Aufl. – Sigmaringen: Thorbecke, 1977.
  ISBN 3-7995-2005-8

NE: Geitel, Klaus:

© 1977 by Jan Thorbecke Verlag KG, Sigmaringen

Gestaltung des Umschlags: Helmut und Regina Rohrer, München · Buchgestaltung: Ulrich Ulrichs, Sigmaringen
Offsetlithos: Binder-Repro-GmbH, Ditzingen · Papier: Papierfabrik Scheufelen, Oberlenningen
Gesamtherstellung: M. Liehners Hofbuchdruckerei KG, Sigmaringen · Printed in Germany · ISBN 3-7995-2005-8

But at length his orders came,
and he said one day, said he,
»I'm ordered to sail with the
Hot Cross Bun to the German Sea.«

W. S. Gilbert

John Cranko

Versuch über Cranko

Für Thomas Erdos

Manchmal fragt man sich, wie er am Ende wohl ausgesehen hätte, wenn es ihm vergönnt gewesen wäre, älter zu werden. Vielleicht wie W. H. Auden, der Dichter mit dem wie von Strophen zerfurchten Gesicht. Auch John Cranko schien, als der Tod ihn erstickte, über seine Jahre hinaus gealtert. Jede seiner Choreographien schien Spuren in seinem Gesicht hinterlassen zu haben: ein Gesicht – auf dem Weg zu sich selbst. Cranko war, als er starb, ein von seiner Kunst schwer gezeichneter Mann.

Erfolg war ihm zugefallen und Ruhm; Glück nicht. Was kam, waren die Depressionen, der Zweifel, der Alkohol und die Einsamkeit. Inspiration kam und ging. Cranko, der Liebenswürdige, scheinbar ein Hans-im-Glück, war durchaus kein Sonnyboy. Er, der Heiterkeit schuf, Schönheit, Behagen, der lachen machte mit seinen Balletten, war ein eher umdüsterter Mensch, voller Zweifel an sich und der Welt, voller Ängste und innerer Anfechtung. Er brauchte den Zuspruch, Hilfe, Ermutigung. Den freundlichen Beistand. Die stützende Hand. Cranko litt von Jahr zu Jahr mehr, und selbst die Nestwärme, die ihm seine Compagnie gab, schien am Ende nicht mehr zu genügen, ihm heil und unbeschadet über die Lebensstrecke zu helfen. Liebesbedürftig wie wenige, fühlte sich Cranko meist gerade von jenen besonders geliebt, die durch ihre körperlose Zuneigung ihm nur doppelt verdeutlichten, wie einsam er war, und ein Meister im Kaschieren der eigenen Seelenzustände war er durchaus nicht. Cranko lebte geradeheraus. Er sprach aus, was er dachte und fühlte; was er haßte, verachtete, liebte. Er machte kein Geheimnis aus seinen Sympathien und Aversionen. Er versteckte sich nicht. Mit offener Brust rannte er blind in feindliche Messer. Er trug böse Narben davon. Das aber hinderte ihn nicht, der Undiplomatie treu zu bleiben. Er war unintrigant, herzlich und hilfsbereit. Man konnte ihn um den kleinen Finger wickeln. Er war nicht mißtrauisch, wohl aber nachtragend. Es war ihm unmöglich, Niedertracht (oder was er dafür hielt) zu verzeihen. Er war generös: mit seiner Zuneigung wie mit seiner Abneigung auch.

Er war impulsiv. Er haßte es, Schlachtpläne auszuhecken, um ein erstrebtes Ziel zu erreichen. Viel lieber packte er den Stier bei den Hörnern, auf die Gefahr hin, damit den Sieg zu verspielen. Er folgte seinen Vorlieben und berief sich dabei auf eine Art Intuition: seinen Spürsinn für Menschen und ihre Qualitäten, der ihn nur dann oft im Stich ließ, wenn es um sein eigenes Glück ging. Cranko, der sich scheute, Menschen zu opfern, beschränkte sich darauf, sein eigenes Opfer zu sein – und darin gab er keinen Pardon. Oft schien er gegen sich selbst zu wüten. Dann wieder in Selbstmitleid zu zerfließen. Er demütigte sich vor aller Augen. Er schwamm in selbstgestrickten Qualen und zog sich immer wieder – ein anderer Münchhausen – am eigenen Zopf aus dem Seelensumpf. Cranko war peinigend. Aber am stärksten peinigte er stets sich allein.

Er besaß Humor. Er konnte zart sein. Er war verständnisvoll und voll guten Willens. Er war ein durchaus humaner Mensch, von echt britischer Fairness, kein Spielverderber, Giftnickel, Wichtigtuer. Er spielte sich selbst stets herab. Er blähte sich niemals auf. Wer vor ihm radschlug, hatte auf Anhieb verspielt. Wer ihm um den Bart ging, glitt ab. Cranko besaß ein feines Gefühl für Aufrichtigkeit. Gerade weil er sich selbst nicht wichtig nahm, bewahrte er sich den unbestechlichen Blick.

Er war geschaffen, Freunden ein Freund zu sein, zu ihnen zu halten, ihnen zur Seite zu stehen. Er war nicht wetterwendisch. Er folgte nicht seinen Launen, und niemand brauchte vor ihnen zu zittern. Er verkroch sich nicht hinter Unnahbarkeit. Er war umgänglich und jedermann leicht erreichbar – mit jeder Art von Problemen. Er gab sich Mühe, sie zu lösen. Er wimmelte keinen ab. Er war kein Drückeberger. Jedem Anspruch an ihn hielt er stand. Er besaß Würde und Einfachheit. Er war ohne Hochmut. Er war ganz einfach ein Gentleman: dies aber beinahe auf fanatisch unerbitterliche Weise.

Er war nicht zimperlich und ging um den heißen Brei niemals herum. Er war furchtlos, aber rannte mit dem Kopf durchaus nicht gern gegen die Wand.

Jedem Kompromiß abgeneigt, hatte er sich dennoch dazu erzogen, sie von Zeit zu Zeit gelten zu lassen. Durch und durch ein Mann des Theaters, goutinierte er dennoch keine Form der Angeberei, und was er von Herzen haßte, war der fatale Hochmut der Handlanger in den Künsten: der Bürokraten an Schreibtischen, in Ateliers, hinter den Kulissen. Es war ihm zuwider, sich gegen sie durchsetzen zu müssen. Doch wo es nötig war, zögerte er keine Sekunde, es wenigstens zu versuchen.

Er liebte das Unprätentiöse. Die Schlichtheit. Die Unschuld – und sie sogar in ihren raffinierten Formen. Er war voller Aversionen gegen alle plappernde Schöngeistigkeit, spitzfindigen Intellektualismus, haarspalterische Debatten. Besserwisserei war ihm verhaßt, ebenso wie böswilliger Unverstand. Dem Widerspruch, selbst wo er vielleicht hätte fruchtbar sein können, ging er gern aus dem Wege. Er fand es angenehmer, mit der schlichten, harmlosen Dummheit zu paktieren als sich mit der penetranten Klugheit einzulassen. Ein Mann der Praxis, verwies er alle Theorie auf die Plätze der Zweit- und Drittrangigkeit.

Er kannte durchaus Respekt und übte sich in ihm – wenn auch manchmal nur widerstrebend. Menschen, die er nicht mochte, ging er weit aus dem Wege. Mit ihnen zusammenzuarbeiten, wenn vielleicht auch das Resultat verheißungsvoll schien, kam ihm nicht in den Sinn. Er liebte es, Freunde zu Mitarbeitern zu machen und Mitarbeiter zu Freunden. Ballett war für ihn eine Art Familienbetrieb, in dem er den pater familias spielte, der alle umsorgte, auf daß er von allen umsorgt würde. Er zog das psychologische Moment dieser Paschasituation ihrem realen Ertrag vor.

Cranko schlachtete seine Stellung nicht aus. Er sah nicht auf Geld, solange er welches hatte. Er brauchte nicht viel. Er verschenkte. Er lebte seiner Kunst und denen, die sie unter seiner Anleitung übten. Er sammelte keine Schätze. Materiell war er stets in manchmal schon besorgniserregender Weise desinteressiert. Es war, als habe er das Gefühl, er würde seine innere Freiheit aufs Spiel setzen, begänne er, sich um finanzielle Dinge zu kümmern.

Aber auch seine äußere Freiheit ließ er sich nicht beschränken. Was er tat, tat er aus freien Stücken. Niemand konnte auf Paragraphen pochen, um ihn zu etwas zu zwingen. Nie hat er seinen ersten Vertrag mit Stuttgart verlängert oder erneuert. Er fühlte sich moralisch seiner Truppe verpflichtet, das war das Einzige, was ihn band.

Er war kollegial, doch mit gewissen Reserven. Er bewunderte gern, doch hielt er seine Bewunderung ostentativ unter Kontrolle. Er war selbstkritisch,

Schlußsze

aber kritischer noch gegen andere. Er liebte die Ballettarbeit als Ganzes. Dem Detail widmete er höchste Aufmerksamkeit, doch brachte er es durchaus über sich, Verantwortung zu delegieren, sie Menschen seines Vertrauens zu übertragen. Ihnen stand er bei zu jeder Tages- und Nachtzeit, unbürokratisch, unbesorgt um das eigene Renommee. Er weigerte sich, auf Kosten anderer auf Nummer Sicher zu gehen. Er, dem jede Chefallüre abging, war durch und durch Chef.

Seine Konferenzen fanden in der Kantine statt, in den Gängen des Theaters, im Trainingssaal, auf

godenprinz«

der Probebühne, im Gehen, im Stehen, im Kauern. Crankos Direktorium kam ohne Schreibtisch aus. Es glich im Grunde einem planvollen Herumgewurstel, das sich einzig an den Ergebnissen maß, nicht am repräsentativ bürokratischen Aufwand. Cranko baute auf die Vernunft im Ballett. Denn unter den darstellenden Künsten bildet das Ballett erstaunlicherweise die rationalste Sektion. Das liegt selbstverständlich an seiner Körperlichkeit. Ein Muskel läßt sich nicht renken; nicht einmal nach der aktuellsten soziologischen oder ästhetischen Theorie. Der Tanz bleibt, so sehr und so oft er ihm auch entwei-

chen möchte, immer auf dem Teppich der Wirklichkeit. Er hält sich fest an der Praxis wie an einer Trainingsstange. Stimmt die Praxis, stimmt beim Ballett auch die Kunst.

Cranko war durchaus kein Pragmatiker des Balletts. Aber er unterwarf sich seiner schlichten Vernunft. Er lökte nicht gegen sie. Er visierte das Machbare, und das ging er an. Er trieb offene Fragen Schritt für Schritt und mit großer Geduld der Lösung entgegen. Er litt unter Umstandskrämereien, denen sich zu entziehen, ihm nicht immer gelang. Aber er akzeptierte sie klaglos wie das schlechte Wetter: eine Naturgegebenheit der unangenehmeren Sorte.

Schlechte Kritiken nahm er, wie die meisten Künstler, persönlich übel. Darin war er wie alle. Aber er bewahrte sich immerhin Skepsis gegen die offensichtliche, in seinen Intimbereich vordringende Lobhudelei: die Ranschmeißkritik, die sich auf den Duzfuß mit ihm zu stellen suchte. Sie war ihm willkommen, da er sie als praktisch empfand, verwertbar, nützlich. Aber glücklich machte sie ihn auch wiederum nicht. Seine Ansprüche griffen höher. Hätte er Kritik nicht generell verachtet, er wäre vielleicht versucht gewesen, seine Kritiken selber zu schreiben: positive, versteht sich, doch solche mit Maß.

Ihn trieb Unruhe. Er war kein Mann des unaktiven Behagens, des Müßiggangs, der genüßlichen Passivität. Dazu waren seine Interessen zu groß, seine Neugier unerschöpflich, auch wenn er oft schon vorher zu wissen schien, daß sich der geistige Aufwand bei den meisten Anlässen kaum lohnte. Er suchte und fand Anregungen, wo kein anderer sie auch nur vermutet hätte. In seinem Innern wuchsen Ideen auf und verwandelten sich über die Monate, die Jahre allmählich zu Balletten. Wenn Cranko zu probieren begann, schienen sie ihm oft beinahe aus dem Ärmel zu rutschen. Nicht, daß er sich die Choreographie, auf dem Sofa liegend, ausgedacht hätte: Trockenballette sozusagen, blutlos. Im Gegenteil. Erst die Arbeit mit seinen Tänzern setzte den Motor in Gang, der allerdings zuvor aufgetankt war, geschmiert, geölt, durchgesehen. Arbeit des Unterbewußtseins. Cranko ließ ruhig die choreographischen Früchte reifen, bevor er den Baum zu schütteln begann.

Das aber war die Schwierigkeit: nicht nach dem Augenblick der eingetretenen Reife konnte sich sein Arbeitsplan richten. Abhängig von einer Vielzahl von Faktoren, der Lieferung einer Partitur, der Auslastung der Werkstätten, der Bühnendisposition hatte er seine Arbeit zu schaffen, sie für fertig zu erklären, abgeschlossen, premierenreif. Er unterwarf sich den Zwängen. Es blieb keine andere Wahl – zumal er wußte, daß ohne sie wahrscheinlich kein theatralisches Kunstwerk je seine Uraufführung erlebt hätte. Die Versuchung, Werke abzusagen, sie zu verschieben auf den Sankt Nimmerleinstag ist von einem gewissen Zeitpunkt unabweisbar größer als die Lust, sie herauszubringen.

Deshalb hing Cranko vielleicht auch besonders an seinen Jugendwerken, die andere eher als Jugendsünden zu klassifizieren geneigt waren. Er aber sah in »Pineapple Poll«, 1951 mit vierundzwanzig Jahren geschaffen, weit mehr als ein typisch englisches Ballett voll angelsächsischer Humore, die den Kontinentaleuropäern stets etwas exotisch vorkommen. Er war stolz auf sein Frühwerk als den unerschütterlichen Nachweis einer choreographischen Urbegabung, deren früher Ausprägung es schon gegeben war, Jahrzehnte zu überdauern. Das aber verband ihn auch mit Kenneth MacMillan: die schlichte Tatsache, daß auch ihm mit den »Danses Concertantes« Strawinskys beinahe auf Anhieb ein Ballett von Dauer geglückt war. 1955 entstanden, zeigten die »Danses Concertantes« des sechsundzwanzigjährigen Choreographen bereits eine ähnliche Leichtigkeit der Erfindungskraft, wie sie auch Cranko besaß – darüber hinaus aber auch alle Charakteristika, die Cranko für unabdingbar hielt für die Weiterentwicklung eines Talents: originelle Schrittführung; Eigenständigkeit des tänzerischen Idioms und zwar vom ersten choreographischen Lallen an.

Gerade das aber, was Cranko am eigenen Frühwerk und dem des Freundes MacMillan schätzte, vermißte er fast immer in den Arbeiten des Nachwuchses, den er dennoch fest entschlossen war, nach besten Kräften zu fördern. Dabei aber erwies es sich, daß die Sache psychologisch wohl doch komplizierter lag, als es auf Anhieb den Anschein hatte. Cranko erwies sich durchaus als blind für die Qualitäten der ersten Arbeiten Neumeiers. Er sprach ihnen jenen Eigenausdruck ab, den er von jeder autarken choreographischen Begabung forderte. Es mag sein, daß diese Einschätzung des jüngeren Kollegen der berühmten Reaktion Sauls auf das Spiel Davids entsprach. Sicher aber ist in der Tat, daß Crankos (wie MacMillans) frühe Arbeiten eine Geschlossenheit und eine choreographische Binnenzeichnung besitzen, eine die Jahre überdauernde Wirkkraft, die nur die wenigsten Ballette der jüngeren Generation aufzuweisen vermögen.

Denn das war Crankos Grundüberzeugung: choreographische Begabung läßt sich nicht züchten. Sie läßt sich auch nicht entwickeln. Sie entwickelt sich von allein: aus sich selbst, in immer neuen Anläufen. All diese Anläufe aber taugen zu nichts,

wenn diese Ur-Begabung nicht von vornherein da ist. Wie groß sie sein muß, um Knospen und Blüten und Früchte treiben zu können, darüber freilich wußte auch Cranko nichts Genaues zu sagen. Tatsächlich ist es ja aber so, daß wirklich kein Choreograph sich bis auf den heutigen Tag hat nachweisen lassen, dessen choreographische Begabung sich aus matten Anfängen zu höchster Ansehnlichkeit gemausert hätte. Selbst ein immer wieder angezweifeltes Talent wie das von Maurice Béjart hat sich schließlich schon mit der »Symphonie pour un homme seul« als höchst prägnant, charakteristisch und unverwechselbar erwiesen. Daß es Béjart außerdem gelang, sein früh nachweisbares, schmales, doch eigenwilliges Talent durch kontinuierliche Arbeit weiterzuentwickeln, steht auf einem anderen Blatt. Aber Robbins wie Balanchine, Bournonville wie Petipa, Ashton wie Hans van Manen haben sich sehr früh, schon in jungen Jahren als Choreographen qualifiziert, befähigt, Ballettgeschichte zu machen. Es ist im Ballett wie beim Schach: wer nicht mit fünfundzwanzig Großmeister ist, wird es nie. Die Spezialbegabung des Choreographen unterliegt Gesetzen, vor denen jedes nur gutmütige Kunstwollen deutlich die Waffen streckt.

In diesem Zusammenhang ist nachdrücklich auf Crankos »The Lady and the Fool« hinzuweisen, ein Ballett des immer noch erst Siebenundzwanzigjährigen, dem man leichthin hochnäsig nachrümpft und es für ungoutierbar erklärt. Crankos Verdi-Ballett (früher Nachweis einer gewissen musikalischen Unsensibilität, eines Paktierens mit dem musikalisch nur Nützlichen) ist aber weit mehr als ein äußerlich effektvolles Stück. Es weist einen Theatersinn auf, der nur vergleichbar ist dem der phänomenalen Theatermacher des Welt-Boulevards. Gerade das Boulevardeske aber wird später ein Hauptcharakteristikum der Arbeiten Crankos werden – bis zum »Onegin«, dieser männlichen »Kameliendame«, und ihrem heiteren Widerspiel von »Der Widerspenstigen Zähmung«. Crankos Welterfolge (und er war von vornherein entschlossen, Ballett für die Welt zu machen, nicht für Esoteriker, Dramaturgen, Hintergründler, Minimalisten, die ihm verhaßte Sektiererei) gründeten sich stets auf den gehobenen Boulevard, der direkt in die anspruchsvollsten Quartiere der Weltkunst mündet. Es wäre einmal zu untersuchen, welchen Anteil der Boulevard sogar an revolutionären Stücken wie Strawinskys »Sacre« hatte; welche Stellung Diaghilew als Entertainer einnimmt in der Entwicklung des modernen Balletts; ob nicht einzig der Boulevard fähig war, dem Ballett jene Attraktionskraft zu gewinnen, von der als Absprengsel sogar der Modern Dance noch

John Cranko, Micheline Faure und Alfredo Köllner
vor Beginn des »Pagodenprinz«

11

»The Lady and the Fool«
Marcia Haydée, Ray Barra

heute lebt. Pawlowa einst wie Nurejew jetzt, sind diesem Boulevard unverbrüchlich verpflichtet.

»The Lady and the Fool« war ein Ballett der choreographischen Cleverness, über die ein Mann wie Flemming Flindt vom Königlich Dänischen Ballett heutzutage wahrscheinlich gerne verfügt hätte. Nur war seine choreographische Urbegabung nicht ähnlich groß wie die Crankos. Cranko gelang es dagegen auf Anhieb, tänzerisch vibrierende Rollen zu schaffen, eine Atmosphäre der Eleganz zu erzeugen und ihr attraktive Sentimentalität beizumischen. »The Lady and the Fool« ist tatsächlich ein mit allen Wassern gewaschenes Ballett, höchst dankbar für die Interpreten, von jener Unsterblichkeit, die ewig ist wie der zweifelhafte Geschmack – aber über den läßt sich immer streiten. Man hätte meinen können, das Werk sei von einem Altmeister der choreographischen Routine geschaffen, so stark setzt es auf Effekt. Aber hier zeigt sich gerade das Gegenteil: im Ballett führt Routine zu nichts. Es gibt bessere und schlechtere Arbeiten selbst der Großmeister, aber keinem von ihnen ist es je durch Routine gelungen, ein fehllaufendes Werk zu retten. Daß aber Balanchine oder Ashton nicht über genügend Routine verfügten, läßt sich ihnen gewiß nicht nachsagen.

Das Erstaunliche und Überraschende: im Ballett gibt es tatsächlich keine Routine, die zum Rettungsanker werden könnte. Gerade das aber belegt, daß es sich beim Entwurf einer Choreographie um mehr handelt als um eine Inszenierung mit Tanzschritten. Opern- oder Schauspielregisseure können sich durchaus auf Routine verlassen (und leben weitgehend von ihr). Sie beten inszenatorisch nach, was andere geschrieben haben. Der Choreograph jedoch findet nichts nachzubeten. Er hat zu erfinden, und dabei ist Routine eher ein Handicap.

Crankos »The Lady and the Fool« ist ein ausgepichtes Stück ohne Frage. Aber der Grad seiner choreographischen Aufrichtigkeit hebt es deutlich aus der Schwemme des Mediokren heraus, die in annähernd einem Vierteljahrhundert über die Ballettbühnen der Welt geströmt ist. Crankos Ballett besitzt »Eigen-Sinn«, der sich durchaus nicht zurückführen läßt auf choreographische Konventionen. Es besingt bereits ein Außenseitertum, das Cranko hinfort nicht müde wird, choreographisch zu rühmen: in »Romeo und Julia« wie in »Spuren«, im »Onegin« ebenso wie in »Présence«, in »Der Widerspenstigen Zähmung« wie in »Carmen«. Cranko, der geborene Außenseiter, fand sich Sujets, die ihm gemäß waren. Sie allein zogen ihn an. Etwas wie choreographischer Bekenntnisdrang zeichnet seine Arbeiten aus. Sie sind auf verschlüsselte Weise bekennt-

nisfreudig. Sie drücken sich um gar nichts herum. Sie negieren die Abstraktion. Sie wenden sich vertrauensvoll an den Menschen – und dies vor dem Forum der Welt.

Es ist natürlich nicht so, als habe Cranko den eigenen Welterfolg von vornherein einkalkuliert. Er fiel ihm zu, doch er fiel ihm nicht in den Schoß. Im Grunde war er ihm gleichgültig – wie noch stets jedem Künstler von einigem Selbstbewußtsein und Rang die Rezeption seiner Kunst bis zu einem gewissen Grade gleichgültig ist: ein simples Faktum, nicht mehr. Crankos Ballette waren ihm stets unausweichlich. Unter wechselnden Masken kam seinen Arbeiten stets autobiographische Bedeutung zu. Jeder sogenannte Verriß war demnach ein Eingriff in das zurückliegende eigene Leben, Negation einer durchlittenen Vergangenheit, ein Infragestellen der eigenen Existenz. Kein Wunder, daß sich in Cranko alles gegen diese Aburteilung des eigenen Lebens wie mit Klauen und Zähnen sträubte. Er war ein Verfechter des Anspruchs, sich in seinen Arbeiten auf die rückhaltloseste persönliche Art auszudrücken und nicht einzig einer mehr oder minder aktuellen Ästhetik das Wort zu reden. Verehrern der »Minimal Art« im Tanz hatte er nichts anderes zu offerieren als mitleidiges Kopfschütteln. Lieber nahm er Verachtung hin, als sich vor einer herrschenden Mode zu prostituieren. Cranko besaß ein lebhaftes Gespür dafür, was zu tun und zu lassen war. Es basierte einzig und allein auf der Kenntnis des eigenen Wesens. Es war sein Kompaß. Keine Dreinsprache irritierte die Nadel.

Die choreographischen Nachbetereien der Ballettorthodoxie negierte er mit reinem Gewissen. Er entließ sich keine Sekunde lang aus der Alleinverantwortlichkeit für seine Ballette. Er choreographierte keinem nach dem Mund. Er war unfähig, sich nach fremder Decke zu strecken. Ein choreographierender Luther, hätte er blasphemisch sagen können: »Hier tanze ich, ich kann nicht anders, Gott helfe mir, Amen.« Es ist erfreulicherweise zu verzeichnen, daß Gott ihm häufiger half als anderen Choreographen.

Cranko kam am 15. August 1927 in Südafrika zur Welt. Geboren aber wurde er offensichtlich in den Reihen des Londoner Sadler's Wells, dem er als Tänzer angehörte. Die frühe Nachkriegszeit – Cranko übersiedelte gleich 1946 nach London – muß auf den Neunzehnjährigen ungeheure Wirkung geübt haben. In ihr wuchs er auf zu dem, der er später wurde. Er saugte mit allen Poren ein, was London, was Europa geistig und künstlerisch zu bieten hatte. Er war kein Tänzer, der über den nächsten Schritt nicht hinauszudenken vermochte. Er war jedem Schritt immer schon in Gedanken voraus, und das blieb nicht unbemerkt. Cranko hat stets versichert, wenn er auch vielleicht kein großer Tänzer gewesen sei und kein künftiger Star in ihm dem Weltballett verlorengegangen wäre, so habe er doch immer die Choreographen für sich zu interessieren gewußt. Sie wählten ihn mit Vorliebe für ihre Ballette. Sie schätzten seine kluge Präsenz im Hintergrund ihrer Choreographien. Es ging von ihm offensichtlich eine Passioniertheit aus, eine ansteckende Ernsthaftigkeit, die sie sich gern zunutze machten. Cranko sah sich als animierendes Element in der Truppe geschätzt, und das war er zweifellos auch. Seine Intelligenz, sein Humor, sein Spieltrieb, seine früh entwickelte Kauzigkeit prädestinierten ihn für mancherlei dankbare Aufgaben, die kein anderer außer ihm mit ähnlichem Charme hätte bewältigen können.

Überhaupt war sein Charme stets Crankos schärfste Waffe. Man konnte ihm nicht böse sein. Er war entwaffnend. Wahrscheinlich war ihm diese Begnadung gar nicht bewußt, denn er setzte sie nie zielbewußt ein. Er schaltete nicht, wie andere es können, Charme an und aus wie einen Scheinwerfer. Er war von Natur aus charmant. Seine Herzlichkeit besaß Witz, sein Witz Herzlichkeit. Daß Cranko sich immer wieder andauernde Zuneigung gewann, lag sicherlich nicht nur an seiner künstlerischen Begabung, sondern an diesem freundlichen Zauber seiner Person, dem sich leicht keiner entzog. Vielleicht gründete sich das Stuttgarter Ballett, sein Zusammenhalt, seine ungewöhnliche Kollegialität und Herzlichkeit, das bezwingende menschliche Verständnis füreinander vor allem auf diesem einzigartigen Gemisch von höchstem Professionalismus, Charme und Demut. Crankos Ballettarbeit basierte am festesten auf seiner offenbaren Hilflosigkeit, gemein oder auch nur vulgär zu sein. Er wirkte mitunter wie gelähmt von Verständnis, von Anteilnahme, von gutem Willen. Er zog dem virtuosesten Sprung stets das schlichte Einander-Beispringen vor. Selbstverständlichkeiten wie die, vollendet zu tanzen, interessierten ihn kaum. Ihm ging es um den Menschen, der sich diese Perfektion zu erarbeiten suchte, nicht allein um das eher abstrakte Ergebnis dieser Bemühung.

Es ist auffällig: in seiner Compagnie war Platz für beinahe alle Nationen. Selten aber und noch seltener für längere Zeit tanzten Franzosen in ihr, obwohl Cranko ihre Ausbildung stets zu schätzen wußte. Es war die Art der Schaustellung ihrer Vorzüge, die ihn beinahe erbittern konnte, ihr hemmungsloser tänzerischer Narzißmus, der dem eigenen Spiegelbild entgegentanzte und es ständig zu umarmen schien, die Verkümmerung des Gemüts in

den klassisch trainierten Körpern. Sie versuchten Kunst zu machen von vornherein und auf künstliche Weise, lange bevor der schöpferische Prozeß überhaupt angelaufen war, und der wiederum brach bei Cranko aus ganz anderen Quellen: der Simplizität, dem Erbarmen, der Heiterkeit oder der Trauer. Crankos Ballette bauten auf wenigen, aber starken und reinen Gefühlen. Sie waren nicht liebeleer, rastlos mit sich selbst beschäftigt. Sie tanzten nicht gleichgültig Schritte hin. Sie versuchten, eine humane Aussage zu den Menschen jenseits der Rampe zu tragen. Das brachte Cranko und seiner Compagnie den Erfolg. Das rief jedoch auch die Gefahr herauf, diesen Erfolg am Ende wieder zu verspielen durch Anpassung an den gängigen Geschmack, die durchaus nicht von vornherein zu Crankos Konzept gehörte.

Doch 1946 in London war das Crankos Problem noch nicht. Er war nichts als neugierig, wißbegierig, lernbegierig. Er kam in die Stadt zehn Jahre bevor Sadler's Wells aufstieg in den Rang eines Royal Ballet, und er vollzog lernend die letzten entscheidenden Stadien mit. Es kann kein Zweifel sein: was er damals lernte, versuchte er später auf seine Weise mit den Stuttgarter Verhältnissen in Einklang zu bringen – eine oft mühsame Aufgabe, undankbar und nicht auf Anhieb mit Erfolg gesegnet. Im Grunde stellte sich Cranko zunächst mit seinem Ballett in Stuttgart eine Art Riesenspielzeug zusammen. Was daraus entspringen würde, war ihm (wie jedermann) anfangs höchst ungewiß. Es ist eines der schönsten und witzigsten Beispiele künstlerisch-administrativer Zusammenarbeit, wie sich aus dem gegenseitigen Belauern von Cranko und dem Stuttgarter Generalintendanten Walter Erich Schäfer am Ende ein Einverständnis entwickelte, das einer Vater-Sohn-Bindung nicht unähnlich war. Und dafür spricht auch, daß der Sohn den Vater bei allem Respekt mehr als einmal höchst töricht fand.

Residierend in Stuttgart, entwickelte Cranko im Laufe der Jahre eine Haßliebe zu London, die deutlich belegte, wie tief er in seinen jungen Jahren sich seiner Wahlheimat verbunden hatte. In ihr hatte er seine ersten Erfolge als Choreograph errungen. Man hatte ihn gewiß lebhaft gefördert, aber er, der es natürlich vorgezogen hätte, der Einzige zu sein, fand sich unaufhörlich in einen Pulk junger Talente zusammengeschnürt und befeuchtet. Bis zuletzt war es ihm nicht gegeben – aber wer kann ihm das schon verdenken –, die Leistung Frederick Ashtons als Choreograph ihrem Rang entsprechend zu schätzen. Nur eines Wortes hätte es bedurft, dem Stuttgarter Ballett die Glanzstücke des Ashton-Repertoires einzugliedern, die heute ein nicht zu unterschätzendes künstlerisches Kapital der Compagnie wären, wenn Cranko sich hätte überwinden können, Ashtons Werk ungetrübten Auges zu sehen. Gerade das aber ging über seine Kraft. Daß am Ende dennoch wenigstens Ashtons Frühwerk »Les Patineurs« in Stuttgart gezeigt wurde, glich beinahe schon einem verkappten Affront.

Diese Aversion ging so weit, daß sich Cranko sogar der naheliegenden Idee verschloß, Hans Werner Henze, Deutschlands bedeutendsten Ballettkomponisten, für eine gemeinsame Arbeit zu gewinnen, nur weil dieser gemeinsam mit Ashton »Undine« geschaffen hatte: ein abendfüllendes Ballett, das

wie kaum ein anderes den Stuttgarter Spielplan energisch bereichert hätte. Erst kurz vor seinem Tode machte sich Cranko zu Henze auf, ihm ein über zwei Abende spielendes »Tristan«-Ballett vorzuschlagen, das – wie schon in Cocteaus Film »L'Eternel Retour« – die Tristan-Sage mit ihren vielfältigen Verzweigungen umgreifen sollte. Der Tod machte einen Strich durch die Rechnung. Was blieb, war Henzes »Tristan«-Prélude für Klavier, Tonbänder und Orchester, das den Namen Crankos nicht einmal nennt.

Gleichzeitig aber schien dieser ins Große sich öffnende Plan Cranko aus einer choreographischen

Nach einem Gala-Abend:
John Cranko, Yvette Chauvirée, Rudolph Nurejew

15

Sackgasse befreien zu sollen, in die er sich unversehens manövriert hatte. Denn mitunter mochte es scheinen, als habe sich Cranko in Stuttgart inzwischen choreographisch erschöpft. Ein Geheimnis war es schließlich nicht, daß seine Großerfolge schon einige Jahre hinter ihm lagen; daß die Stuttgarter Compagnie nicht erst seit gestern von der eigenen Vergangenheit zu leben begann. Aus eigener choreographischer Kraft schien Cranko sie nicht mehr speisen zu können, und nirgends weit und breit war ein Helfer in Sicht, fähig, erfolgversprechend in die choreographische Bresche zu springen, die Crankos schwankender Sinn, sein plötzliches Unvermögen,

sich choreographisch schlagkräftig zu artikulieren, gerissen hatte.

Crankos Verklärung seiner frühen Londoner Jahre kommt natürlich auch daher, daß ihm damals das Leben breit zulächelte. Cranko lebte im Anblick Margot Fonteyns wie in Trance dahin. Sie lehrte ihn das Entscheidende: wie wichtig es für eine Truppe ist, an ihrer Spitze eine Primaballerina als Vorbild zu haben. Cranko war daher auf seine eigene Fonteyn aus. Das Glück stand ihm bei: er fand sie in Marcia Haydée. Beinahe aber noch wichtiger war – zumindest für das Ballett in ganz Deutschland –, daß er gleichzeitig auf Ray Barra stieß. Cranko fand in

»Katalyse«

ihm seinen ersten Romeo, seinen ersten Iwan Zare- witsch im »Feuervogel«, seinen ersten Onegin. Er wurde der erste Partner der Haydée, und mehr als das: gemeinsam bildeten sie das Paar, das Crankos Stuttgarter Arbeit zum Durchbruch verhalf, zur tosenden Anerkennung, aus der später der Welterfolg wurde. Barras Bedeutung für die frühen Jahre des Stuttgarter Balletts unter Cranko ist gar nicht zu unterschätzen. Dabei war er verhältnismäßig spät überhaupt erst zum Tanz gekommen. Erst als Acht- zehnjähriger hatte er begonnen, Ballettunterricht zu nehmen, hatte dann dem American Ballet Theatre angehört und sah sich nun in Stuttgart mit einem Schlage an der Spitze einer Compagnie in künst- lerischer Aufbruchstimmung sondergleichen. Das Stimulierende, das von Cranko ausging, fand in Ray Barra kräftige Resonanz. Wie Marcia Haydée trat auch er voll in den Dienst der Truppe. Er beschränkte sich nicht darauf, Rollen zu übernehmen und sie nach besten Kräften zu gestalten, Star zu sein und im eigenen Erfolg Genüge zu finden. Barra widmete Cranko, seinem Werk, der jungen Compagnie vor- behaltlos seine volle integrierende Kraft. Er stand darin der Haydée in nichts nach. Gemeinsam tanzten sie der Truppe voran. Wirkte das Genie der Haydée beflügelnd auf die Compagnie, so stachelten Barras hart erarbeitetes Können, seine Selbstzucht, sein unaufhörlicher Kampf um die Grundlagen sei- ner Technik den Wettbewerb an, es ihm gleichzuma- chen. Nur um eine Nasenlänge tanzte Barra mit- unter der Truppe voran, aber immer dort, wo er gerade tanzte, fand Kunst statt. Barra gelang es, sie herbeizuzwingen. Oft war er dabei gnadenlos mit sich selbst. Er tanzte gewissermaßen mit zusammen- gebissenen Zähnen. Er gab nicht klein bei. Er setzte sich durch. Seine Leistungen, oft ertrotzt, hatten immer Größe und eine Ernsthaftigkeit, die sich unverlierbar einprägte. Daß es das Schicksal ihm vorenthielt, am Ende auch den Petrucchio in »Der Widerspenstigen Zähmung« zu tanzen, ist ein Jam- mer. Seine Virilität, sein dunkles Strahlen, sein Darstellungsvermögen, seine außerordentliche Büh- nenpräsenz und Autorität hätten ihn gerade in dieser Partie zu einem Richard Burton des Tanzes gemacht.

Cranko hatte bei Antritt seines Engagements Ray Barra in Stuttgart schon vorgefunden. Bereits unter Beriozoff und Werner Ulbrich hatte er Hauptrollen getanzt, aber erst jetzt, im Verein mit der Haydée, von Cranko befeuert, zog er alle Register der in ihm schlummernden Kunst. Seine rein tanztech- nischen Fähigkeiten waren wohl respektabel, doch wiederum auch nicht besonders spektakulär. Er kam mit ihnen durch, ohne allerdings größere Reserven in der Hinterhand zu besitzen. Aber wie er seine Trümpfe ausspielte, das machte ihm keiner nach – und hoch genug waren sie auch. Barra ging, als ein Bühnenunfall seine Karriere als Tänzer beendet hat- te, als Ballettmeister Kenneth MacMillans an die Deutsche Oper Berlin. Seine Leistung dort ist unver- gessen. Er half mit der ihm eigenen Selbstlosigkeit und Tatkraft, das Ensemble nach dem Fortgang Tatjana Gsovskys künstlerisch umzuschmieden und auf seine neuen Aufgaben einzustimmen. Das gelang ihm vorzüglich. Seine grundlegende Arbeit in Berlin läßt sich heute noch spüren. Später ging er zu John Neumeier nach Frankfurt und mit ihm gemeinsam an die Hamburgische Staatsoper, ein unentbehrlich guter Geist der Truppe auch hier. Daß das Ballett in Deutschland bei seinen vielfachen Neuanfängen im letzten Jahrzehnt immer wieder auf die Füße fiel und nicht auf die Nase, ist zu einem Gutteil der beinahe anonymen Arbeit Ray Barras hinter den Kulissen zu danken. Am Welterfolg des Stuttgarter Balletts ist er ebenso entscheidend beteiligt gewesen wie an der Glanzzeit des Balletts der Deutschen Oper Berlin und jetzt an Neumeiers Hamburgischen Triumphen. Ihm ist das Ballett in Deutschland für die Stetigkeit seines Einsatzes für die Tanzkunst auch jenseits des Scheinwerferlichts auf das stärkste verpflichtet.

Schwerarbeiter der Leichtigkeit. Mit ihnen steht und fällt das Ballett. Mit der Haydée stieg es in Stuttgart in den ihm jetzt eigenen Rang. Als Cranko sie aus Barcelona herbeirief, ihm vorzutanzen, war sie ein künstlerisch ziemlich unbeschriebenes Blatt, herbeiflatternd aus dem tänzerischen Nachlaß des Marquis de Cuevas, dessen Truppe sie angehört hatte. Sie bewarb sich um einen Platz bei Cranko im Corps de ballet und fand sich unvermutet an der Spitze der Truppe – warum aber, das konnte selbst Cranko bis zum Schluß nicht mit letzter Sicherheit sagen. Es muß seine Spürnasigkeit gewesen sein, seine künst- lerische Witterung für den Nervenreiz, der von der Haydée ausging, für die verlockende Möglichkeit, sich dieser offensichtlich künstlerischen Sensi- bilität zu bedienen. Wahrscheinlich aber war der weit zutreffendere Grund für dies Engagement, daß Cranko in diesem Augenblick jene Fortüne im Höchst- maß besaß, ohne die auch ein Choreograph und Ballettdirektor nicht auskommt. Immerhin konnte sich im Fall der Haydée diese Fortüne an einer Arbeits- moral, einer Sorgfalt der künstlerischen Vorbereitung orientieren, die Cranko auf Anhieb für seine neue Tänzerin einnahm. Was sie in Wahrheit zu leisten vermochte, war ungewiß. Mit welchem Einsatz, welchem Pflichtgefühl sie sich jedoch auf die bevor- stehende Arbeit vorbereitete, das war imponierend.

Crankos Entscheid gegen die Zweifelhaftigkeit der Kunst, aber für den unzweifelhaften Fleiß einer Ballerina belegt jene Handwerksgesinnung, die Crankos Wesen – und damit sein Werk – stets bestimmte.

Er selbst fühlte sich nicht als Künstler. Ihm ging jedes Künstlergetue auf die Nerven. Er schlug sich vor ihm in die Büsche. Er machte einen Bogen um jede Allüre herum. Er war bescheiden, und seine Bescheidenheit wiederum drückt sich auch aus im Unverkünstelten seiner Ballette, ihrer Schlichtheit und Geradlinigkeit. Auch sie machen sich nicht wichtig. Sie sind es von Natur, auf ungezwungene Art. Ihm wurde die Kunst der Haydée ein wunderbar klarer Spiegel. Die Haydée harmonierte mit Cranko auf eine beinahe schon parapsychologische Weise. Sie griff auf, was er gerade erst erträumt hatte, und setzte es um in Wirklichkeit. Ihre Wirklichkeit wiederum machte andererseits ihn träumen. Eine Wechselbeziehung der künstlerischen Arbeit begann, die noch heute insgeheim weiterzugehen scheint. Manchmal meint man, die Trennung der Truppe von Tetley sei auf ein unterbewußtes Kommando zustandegekommen – genauso wie die Berufung der Hightower, deren auf Praxis gerichteter Professionalismus dem fröhlichen Puritanismus der Stuttgarter Compagnie durchaus zu entsprechen scheint. Alles Wolkige, Verblasene, Spökenkiekerische ist dieser Compagnie fremd, und manchmal meint man allerdings, dies ungehemmt Unbeschwerte der Tradition Crankos könnte schließlich bis zur Geistfeindlichkeit gehen. Dazu aber wiederum scheint Marcia Haydée in ihrem heiteren Geltenlassen aller Gegensätze, diesem selbstsicheren, unbeirrbaren Anflug von früh erreichter Weisheit, bei ihrer Begabung und ihrem vielfältigen Talent von Herzen unfähig. Allerdings muß eine Frau von ihrer stark integrierenden Kraft, die auf Respekt bis ins hinterste Glied zählen kann, unumgänglicherweise Harmonie schaffen – jene Art von Ballett also ohne Zähne und Krallen, die leicht Gefahr läuft, zur Lieblichkeit zu verkommen, zur rosigen Bravheit, zum Familienballett.

Als Cranko noch in Kapstadt Tanzunterricht nahm, konnte von Familienballett durchaus die Rede nicht sein. Ehemänner weigerten sich dort sogar, mit ihren Frauen zusammen Ballettvorstellungen zu sehen, so rar sich diese auch machten – nicht etwa, weil die Ballettmädchen in Verruf standen, sondern ganz einfach weil tanzende Männer in Südafrika von vornherein suspekt waren, peinlich, eine Unerquicklichkeit jener Art, in der Ästhetik ins böse Gegenteil umzuschlagen scheint. Tanzende Männer bildeten eine Apartheid für sich, die man nicht einmal durch Gesetze eingrenzen mußte. Man ging ihr, wo es ging, freiwillig aus dem Wege.

Es gleicht nun einem Treppenwitz der Ballettgeschichte, daß dem jungen John Cranko, dem künftigen Stuttgarter Ballettdirektor, eine Förderung zuteil wurde, die ihren Ursprung ausgerechnet in Berlin hatte. Mit Léon Woitzikowskys »Ballett des Zaren« war Mitte der dreißiger Jahre Cecily Robinson nach Berlin gekommen, eine südafrikanische Tänzerin. Zuvor hatte die Truppe im Londoner Coliseum gastiert, dann in Paris, und Cecily Robinson hatte die Gelegenheit genutzt, bei der Preobrajenska zu studieren. Überhaupt ließ sie keine Gelegenheit aus, ihr geradezu photographisches Gedächtnis an allen Balletten zu erproben, die sie sah – und das waren nicht wenige. In Berlin jedoch, beim Gastspiel in der »Scala«, dem Großvarieté im Westend der alten Reichshauptstadt, dem mondänen Varieté neben dem traditionellen »Wintergarten« an der Friedrichstraße, zog sich die Robinson eine ernsthafte Knieverletzung zu, die nicht ausheilen wollte. Sie kehrte daher 1937 nach Kapstadt zurück und gründete den Cape Town Ballet Club. In ihm fand Cranko jene Förderung, die ihn in London später befähigte, zielstrebig seine Talente als Choreograph darzulegen, die er beim Aufgalopp in Kapstadt erprobt hatte.

Fast gleichzeitig mit ihm verließen übrigens die fähigsten der Ballett-Südafrikaner die Heimat mit dem lockenden Ziel London: Alfred Rodrigues, der um sechs Jahre ältere Choreograph, dessen bekannteste Arbeit das Lorca-Ballett »Bluthochzeit« werden sollte, und die mit Cranko gleichaltrige Nadia Nerina, die spätere Ballerina des Royal Ballet.

Auf Anhieb zeichnete sich Cranko in London als choreographische Hoffnung aus. Er brillierte mit Fixigkeit – aber auch mit jener souveränen Verachtung der lästigen Realitäten, die ihm selbst später in Stuttgart noch das Bein stellen sollten. Er hatte für das New York City Ballet »The Witch« choreographiert und sich dabei einer Musik Ravels bedient, ohne sich groß um die Aufführungsrechte zu kümmern. New York war weit, zumindest damals. Man schrieb das Jahr 1950, und eine Reise nach New York war noch ein Abenteuer. Dem Flughafen von Shannon, letzter Landeplatz vor dem Sprung über den Atlantik, kam eine singuläre Bedeutung zu, wie ein Jahrzehnt später jenem von Anchorage auf dem Wege nach Japan. New York wußte kaum etwas von Paris, und umgekehrt war es ähnlich. Als Cranko jedoch »The Witch«, trotz oder gerade wegen des krüppligen New Yorker Erfolges, in London neu einstudieren wollte, erhob Ravels Verleger Einspruch. Er untersagte harsch die Benutzung der

John Cranko

Partitur – genauso wie viele Jahre später in Stuttgart die Aufführung der »Brouillards«, die sich auf Debussys Klavierwerke stützen. Das französische Urheberrecht gibt in der Tat den Erben und ihren Platzhaltern, den Verlegern, die Möglichkeit, mißliebige Aufführungen zu unterbinden. Schon Todd Bolender hatte bittere Erfahrungen mit den Eignern der Debussy-Rechte gemacht. Sie zwangen ihn bei jeder Aufführung seines erfolgreichsten Ballettes, »The Still Point«, das nur die ersten drei Sätze des Debussy-Quartetts nutzt, den vierten bei geschlossenem Vorhang nachzuspielen. Nur Stunden vor der Premiere jedenfalls traf die Genehmigung zur Aufführung der »Brouillards« befreiend in Stuttgart ein.

Dem noch weitgehend unbekannten Cranko wurde im Fall von »The Witch« durch die Ravel-Erben kein Gnadenerlaß zuteil. Die von ihm gewählte Musik blieb verboten. Hals über Kopf und von heute auf morgen hatte sich Cranko einem ganz neuen Ballett zuzuwenden. Er choreographierte unter dem Titel »Pastorale« ein Mozart-Divertimento, das die Tänzer über das Wochenende einstudierten, Ninette de Valois vortanzten und sofort von ihr grünes Licht für die Premiere erhielten. In

der Kunst, Ballette im Handumdrehen aus sich herauszuschleudern, war Cranko schon früh ein Meister. Er hielt es gewissermaßen mit Hans van Manen, der unverbrüchlich der Ansicht ist, wer nicht viel choreographiere, habe nichts zum Wegwerfen. Einzig Meisterwerke schaffen zu müssen, sei ein unerfüllbarer Anspruch, der an künstlerische Inhumanität grenze. Cranko sollte später wiederholt ein Opfer dieses irrigen Anspruchs werden.

Wichtig in seiner Londoner Zeit war noch die Beschäftigung mit dem tänzerischen Entertainment von kabarettistischem Zuschnitt, das er »Cranks« nannte. Es waren pointierte Nummern, gagfreudig, schnell, großstädtisch. Eine leichtfüßige Lapidar-Choreographie ohne tiefere Bedeutung, doch voll tieferer Anmut. Cranko war stets der Ansicht, daß die Schönheit ein Blitzstrahl sei, das Dunkel allgemeiner Häßlichkeit schlagartig, wenn auch nur vorübergehend, auszulöschen und zugleich zu erhellen. »Cranks« – das war eine Knisterchoreographie des Leichtsinns, der guten Laune, inspiriert von den Intelligenzhöhlen rund um den Pariser Boulevard St. Germain, Treffpunkt des Nachkriegs-Existentialismus, dessen Muse nicht mehr Sartre hieß, sondern

John Cranko, Margot Fonteyn, Kenneth MacMillan

längst schon Juliette Gréco. Paris mußte Cranko in diesen Jahren im Gegensatz zum schwergezeichneten London mit seinem noch immer grassierenden Mangel als die Welthauptstadt der jungen Ausgelassenheit erscheinen, des zielsicheren Übermuts, der Kunst, in knappster Form ein Höchstmaß von treffenden Anspielungen unterzubringen. Die Behäbigkeit britischer Humore schien weltweit entfernt, nicht nur durch den Ärmelkanal von dieser witzigen Pariser Spiritualität getrennt. Aber auch New York wußte überhaupt nichts mit ihr anzufangen, wie sich später herausstellte. Noch gab es keine Trendsetter internationaler Entwicklungen, die mit einer Handbewegung über »in« oder »out« einer künstlerischen Findung entschieden. Crankos spirituelle, irrlichternde Koketterie, aufgeschnappt in den Pariser Kellerlokalen, hatte jedenfalls zunächst nur geringe Chancen, sich durchzusetzen. Doch es scheint, als sei später unter ganz anderen Vorzeichen die fingerschnippende, Slapstick ähnliche Spontaneität der choreographischen und szenischen Erfindung in Stücke wie »Présence« eingegangen, dieses choreographisch hintersinnige Kabarett, das auf tänzerisch engstem Raum eine unendliche Fülle von Inventionen hervorblitzen ließ. Die »Cranks« hatten plötzlich Anschluß an die Avantgarde gefunden, wenn ihre überschäumende Heiterkeit sie auch auf Anhieb vereinsamte. Wer lacht und gleichzeitig künstlerisch kühn ist, gehört, einer landläufigen Ansicht zufolge, vor Gericht. »Présence«, Crankos kunstreichste choreographische »Cranks«, blieben denn auch leider ein Unikum ohne Nachfolge. »Der Widerspenstigen Zähmung« schien danach wie ein Friedensschluß mit dem Publikum – und Massine.

Es muß Crankos Stolz gewesen sein, daß ihm und nicht Frederick Ashton von Benjamin Britten die Choreographie zum »Pagodenprinz« angetragen wurde, der das erste abendfüllende englische Ballett werden sollte: eine getanzte Unabhängigkeitserklärung. Ashton revanchierte sich für diesen Affront mit dem Auftrag, »Undine« zu komponieren – und schuf darin eine von Margot Fonteyns unvergeßlichen Rollen. Crankos und Brittens »Pagodenprinz« indessen wuchs sich aus zu einer tänzerisch dahinprunkenden Verlegenheit ohne choreographisches Ziel. Kurze Zeit vor seinem Tode plante Cranko, das Stück einer gründlichen Revision zu unterziehen, es neu zu choreographieren und abermals in Stuttgart herauszubringen. Es blieb bei der Absicht. Der »Pagodenprinz« ist kein Ruhmesblatt geworden – weder im Œuvre Brittens noch Crankos. Aber Brittens Ruhm genügte, Cranko einen Ruf nach Stuttgart einzutragen. Das war 1960, und seine Arbeit fand freundliche, wenn auch nicht gerade enthu-

siastische Aufnahme. Im Grunde hätte Crankos Deutschland-Gastspiel mit dieser Einstudierung des »Pagodenprinz« gleich auch wieder vorbei sein können.

Um zu verstehen, warum es dennoch andauerte, muß man einen Blick auf die magere Ballettszene in Deutschland zur Zeit von Crankos Stuttgarter Debüt werfen. Die Situation war alles andere als rosig. Das Ballett der Deutschen Oper Berlin und gleichzeitig das der Frankfurter Bühnen unterstanden Tatjana Gsovsky. Zwölf lange Jahre, von 1954 bis 1966, stand sie zunächst dem Ballett der Städtischen Oper vor, das später in das neuerbaute Haus an der Bismarckstraße transferiert wurde. Gleich nach dem Krieg aber schon hatte sie die Ballettaufbauarbeit an der Ostberliner Staatsoper begonnen, die damals im »Admiralspalast« untergeschlüpft war. Die Gsovsky war die große Erneuerin des Tanzes in erster Stunde. Sie machte das Ballett in Deutschland populär. Sie bildete seine feinsten Interpreten heran. Sie wurde zur attraktivsten Ballettmacherin Deutschlands: eine lebendige Freiheitsstatue der Choreographie sozusagen. Man vergötterte sie. Tatjana Gsovsky war wahrscheinlich in diesen Nachkriegsjahren die berühmteste aller schöpferischen Künstlerinnen in Deutschland. Sie war eine Autorität. Ihr drängten die Begabungen zu wie später nur Cranko. Man wollte in der Truppe der Gsovsky tanzen. Es gab nichts Sinnvolleres, nichts Begehrteres im deutschen Ballett. Wo sie war, war vorn. Sie umgab die Aura der Ferne, des Weltweiten, des Exotischen. Tatjana Gsovskys Truppe war das lockende Ziel, sie selbst die Hoffnung schlechthin für den deutschen Tanz. Um das Jahr 1960, als Cranko nach Deutschland kam, war das Schaffen der Gsovsky bei aller äußeren Expansion allerdings schon in choreographische Rezession umgeschlagen. Aus Angst vor der politischen Unstabilität West-Berlins hatte sie, die Exilrussin, dies vielfach gebrannte Kind, sich entschlossen, wenigstens einen Fuß im Westen zu haben. Sie verpflichtete sich dem Frankfurter Ballett und fütterte es mit Choreographien durch, die nach zweiter Hand schmeckten. Ihre Erfindungskraft, die für eine einzige Compagnie kaum gereicht hätte, zersplitterte sich noch dazu. Weder Berlin noch Frankfurt war damit gedient. Die immense Kraft der Gsovsky, ihr aufrüttelndes Temperament, ihre umstürzlerische Originalität, ihre choreographische Bannkraft schienen gewelkt, ihre Visionen erloschen. Aber gerade diese waren ihre Stärke gewesen: zu bannen mit ihrem Werk hatte sie immer gewußt. Sie war eine Hexenmeisterin der Szene, die immer wieder in den Fluß ihrer Ballette Augenblicke hineinzuhexen vermochte, die sich unverlierbar in die Erinnerung krallten. Am Ende aber war das Publikum immer verhext. Es feierte sie mit Recht als Deutschlands genialischste Zauberin. Mit ihr hätte, allgemeiner Ansicht zufolge, selbst Faust gern paktiert, um zu einem anständigen »Abraxas« zu kommen. Als es endlich soweit kam, war es zu spät. Aber noch als Ahnfrau des Neuen zog die Gsovsky unbeirrt die jungen Talente an. Sie war epochal. Sie war vor Cranko die einzige, die das Ballett in Deutschland faszinierend zu machen verstanden hatte.

In Hamburg residierte der gutmütige Gustav Blank, ein bescheidener Mann, der einst ein unauffälliger Tänzer gewesen war und nun unauffällige Ballette machte, hübsche, unwesentliche Choreographien, die nirgends aneckten. Schlimmstenfalls durchschlief man sie auf angenehm traumlose Art. Abgelöst wurde er 1962 von Peter van Dyk, einem Schüler der Gsovsky, der es als erster deutscher Tänzer zum Rang eines Danseur Etoile an der Pariser Oper gebracht hatte – sei es nun durch sein lupenreines, unfehlbares technisches Können oder durch die unausrottbare Sympathie Serge Lifars für Arno Breker und seine Landsleute. Van Dyk jedenfalls tanzte, wie kein deutscher Tänzer zuvor. Er schien die Kalligraphie der klassischen Technik geradezu erfunden zu haben. Er nahm, tanzend, alle Computer vorweg. Er tanzte gewissermaßen die Logarithmentafel, als sei sie von Petipa. Er war die Perfektion in Person, die wandelnde Unfehlbarkeit. Mit Tanzphotos von ihm, simplen Schnappschüssen, hätte man leicht ein Lehrbuch des klassischen Balletts illustrieren können. Peter van Dyk war unschlagbar, wo es um äußere Vollkommenheit ging. Er zeigte den total und vollkommen konservierten Tanz vor als unabwendbar. Alles war verläßlich, wie es sein sollte, von Ewigkeit zu Ewigkeit. Nur hatte es wenig Arom. Es war ohne Makel, doch es ließ die Herzen kaum klopfen. Es pfiff auf Lebendigkeit. Es berief sich auf das Dogma des klassischen Kanons, und als tanzender Dogmatiker war tatsächlich der Größte Peter van Dyk. Er reihte vollkommene Schritte zu mitunter vollkommener choreographischer Öde aneinander. Er war wie ein Koch, der die exquisitesten Zutaten zu Gerichten verkochte, nach denen sich keiner die Lippen leckte. Acht volle Jahre lang setzte sie Rolf Liebermann zynisch dem Publikum vor und fütterte es zwischendurch immer wieder auf mit Balletten von Balanchine: eine Hinhaltetaktik, die hier betrieben wurde, der van Dyk am Ende zum Opfer fiel.

In München arbeitete Heinz Rosen. Er war ein Opfer der Nazis gewesen. Er gehörte infolgedessen in die Kaste der zeitweilig »Unberührbaren« und nutzte diese traurige Situation wider Willen, doch notgedrungen aus. Er fühlte sich verfolgt, und natürlich vor allem durch die Kritik, der er unlautere Absichten unterstellte. Er witterte in ihr den verlängerten Arm Hitlers, der noch aus dem Grab nach ihm griff. Das traf nicht zu. Es war schlimmer: mit seinen Choreographien richtete sich Rosen allmählich unaufhaltsam eigenhändig zugrunde. Ihm war nicht zu helfen.

In Düsseldorf regierte das Vakuum. Kurt Jooss stieß hinein, Otto Krüger, Nika Nilanowa-Sanftleben, die Choreographin, deren Name irrigerweise nach Rosa von Praunheim'scher Extravaganz schmeckt – oder nach Thomas Manns Namenssymbolik. Ein Choreograph gab dem anderen die Klinke in die Hand. Man überlebte. Man arbeitete weiter. Man tanzte. Dem Publikum war es ziemlich egal. Es war abonniert oder (besser) auch nicht.

In Wuppertal dagegen hatte Erich Walter seit 1953 das Zepter in der Hand und zeigte dort halb und halb im Verborgenen, nur von Kennern, Professionellen und dem Wuppertaler Publikum nach Gebühr gewürdigt, seine feine, ein bißchen blutlose Arbeit, deren Meriten freilich in diesem Deutschland des Nichttanzes gar nicht zu übersehen waren. Erich Walter wurde gefeiert wie ein Messias – und dies durchaus ganz zu Recht. Keine andere Stadt Deutschlands konnte sich einer kontinuierlichen tänzerischen Arbeit von ähnlicher ästhetischer Zielstrebigkeit erfreuen wie Wuppertal. Zweimal im Jahr brachte Erich Walter verläßlich Ballette heraus, die Staunen machten – vor allem, da sie sich ausgerechnet in Wuppertal offenbarten. Was Peter van Dyk als Tänzer, war gewissermaßen Erich Walter als Choreograph: kein Eiferer und Umstürzler, eher ein neoklassisch Konservativer mit dem Hang zu leicht anämischer Schönheit, die sich mitunter fad gab, doch stets gute Manieren besaß. 1964 siedelte Erich Walter nach Düsseldorf um, und seitdem hat die Deutsche Oper am Rhein das immer ein bißchen fragwürdige Glück, seine immer noch wohldosierten, ausgefeilten Ballette präsentieren zu können, die verläßlich Beifall finden, der ihnen durchaus auch zukommt. In diesen choreographischen Umkreis jedenfalls sprang Cranko hinein.

Brittens »Pagodenprinz« war im Grunde bei aller Neuheit künstlerisch ein alter Hut. Cranko mochte ihn choreographisch dämpfen und drücken, kniffen und knautschen, wie er wollte, das änderte nicht seine Form, auch wenn er ihn sich schief aufs Auge setzte oder in den Nacken schob. Es half nichts. Mit dem »Pagodenprinz« war kaum Furore zu machen. Höchstens bot er die Chance, den Auftrag zu einem neuen Ballett zu gewinnen. Gerade den bot Walter Erich Schäfer – und dazu die Leitung einer eigenen

Applaus für John Cranko

23

John Cranko und Dieter Gräfe

Compagnie. Ein verführerischeres Angebot hatte man Cranko bisher von keiner Seite gemacht. Er lechzte nach einer eigenen Truppe. Er wollte auf eigene Rechnung und Gefahr erproben, was er in London gelernt hatte.

Außerdem wollte er sich zu Haus rar machen. Er wollte Ashton imponieren, ihm Unabhängigkeit demonstrieren – alle diese guten Dinge, auf die man als Knabe versessen ist. Das große choreographische Indianerspiel sollte endlich beginnen – und Stuttgart bot sich dafür als glänzender Platz. Beriozoff immerhin hatte ihm das Feld eigenhändig bereitet. Er hatte das Publikum auf klassisches Ballett eingestimmt. Er hatte ihm künstlerisch gewissermaßen schon die Leviten gelesen. Er hatte ihm die Augen geschult. Er hatte das Verständnis der Zuschauer trainiert wie das Können der Truppe. Mit großen Produktionen hatte er ihnen Appetit gemacht, ohne sie künstlerisch billig abzuspeisen. Beriozoff war ein Mann mit einer durchaus pädagogischen Ader, und er hatte das Publikum denn auch prompt Blut lecken lassen. Doch nun tat offensichtlich eine Transfusion not, und Cranko schien, in Ermangelung eines besseren, dafür der rechte Mann.

Ähnlich wie er müssen früher die Feldherren aus dem luxuriösen Rom auf die finsteren Germanen herabgeblickt haben, wie Cranko nun auf Stuttgart, seine Truppe und ihr Publikum. London war inzwischen zu einer Welthauptstadt des Balletts aufgestiegen. Sadler's Wells, zum Royal Ballet nobilitiert, verfügte über Stars höchsten Ranges, eine der vergöttertsten Ballerinen der Welt, ein reiches Repertoire und ein ebenso enthusiastisches wie kennerisches Publikum. Der Nachteil nur: viel Platz zu eigenständiger künstlerischer Arbeit konnte das Royal Ballet Cranko nicht bieten. Neben Ashton hatte sich Kenneth MacMillan etabliert, und MacMillan galt als der designierte Nachfolger Ashtons. Für Cranko blieb nichts als das Exil, und Stuttgart muß ihm anfangs wohl auch wie ein Exil erschienen sein: als eine armselige Dependance des englischen Balletts in der deutschen Provinz.

Mit dieser Ansicht von Stuttgart konnte die Arbeit natürlich nicht fruchten – und das tat sie auch nicht. Crankos Pläne dümpelten in der Flaute. Er machte Ballett, wie man es vielleicht in der englischen Provinz hätte machen können, aber nicht in Stuttgart – das sich naturgemäß nicht für Provinz hielt, sondern, gut föderalistisch, für den Nabel einer künstlerisch autarken, in sich ruhenden Welt, wenn diese auch eng umgrenzt war. Cranko mußte erst zum Stuttgarter werden, um ein Gespür dafür zu bekommen, was man dem Stuttgarter Publikum zumuten konnte – und was nicht. Wie zuvor schon die Gsovsky zur russischen Preußin geworden war (darin bestand ihr Erfolg), wurde Cranko nun zum englischen Schwaben – oder er begann doch zumindest, diese Rolle zu spielen. Er akklimatisierte sich, er assimilierte sich. Das aber brauchte Zeit. Sie verstrich in beinahe beängstigender Weise. Kein Gedanke daran, daß Cranko sich und seiner Truppe auf Anhieb den Platz an der Sonne erobert hätte, den sich beide später errangen. Blickt man auf die Liste der Ballette, die Cranko anfangs in Stuttgart choreographierte, dann stolpert man über Titel, die man meint, nie zuvor gehört zu haben und schon gar nicht in Verbindung mit seinem Namen.

Da gibt es ein »Divertimento« zu Mozart-Musik, ein »Familien-Album«, ein »Intermezzo«. Da gibt es »Die Jahreszeiten« (Glasunow) und Strawinskys »Scènes de ballet«. Da gibt es – nach Iwanow – die »Coppélia« und englische Reprisen wie »The Lady and the Fool« und »Antigone« zur Musik von Theodorakis, ein ziemlich schlimmes Stück, eine Art weiblicher »Spartacus«, pathetisch, aufdringlich, vorlaut. Auch Ravels »Daphnis und Cloe« wird inszeniert und choreographiert. Erik Bruhn tanzt sogar die männliche Titelpartie, Nicholas Georgiadis entwirft Dekor und Kostüme. Aber dennoch: prägnant wird Crankos Arbeit noch nicht und auch noch nicht populär. Cranko ist nichts als Stuttgarts neuer Ballettmeister, den man machen läßt, wie es der Anstand will. Man kann einem Neukömmling schließlich nicht von Anfang in die Geschäfte hineinreden. Er hat sich mit seinem Vertrag einen Freibrief erworben. Den darf er nutzen. Nur: viel Nutzen scheint er Cranko einstweilen nicht zu bringen. Es bleibt bei einem choreographischen Abtasten der Situation, Fingerübungen sozusagen, die Truppe, das Theater, die Stadt in den Griff zu bekommen.

Es setzt vielversprechende Anläufe wie in »Katalyse«, spritzig, unbeschwert und effektvoll zu Schostakowitschs Konzert für Klavier, Trompete und Streichorchester dahintanzend, schon gesättigt mit den fröhlichen Gags, die später geradezu zur Spitzmarke Crankos werden. Schon hier zeigen sie Feinheit und Wendigkeit, eine Eleganz des Schliffs, die weltenweit entfernt ist von der Deftigkeit der rumpelnden Humore, mit denen das heitere Ballett älterer Bauart seine Wirkung erwirtschaftete.

Der Durchbruch in den Publikumserfolg, die Ausprägung des Stuttgarter Stils, der Beginn des choreo-

graphischen Höhenflugs, der Cranko in die kleine Schar der Ballettmacher von Rang hinaufriß, kam erst mit »Romeo und Julia«, Prokofieffs Ballett, das Cranko schon 1958 an der Mailänder Scala ausprobiert hatte. Nun brachte er es, vier Jahre später, in Stuttgart heraus. Von heute auf morgen gewann es sich die Herzen durch seine lebhafte Ernsthaftigkeit, seinen frischen Realismus, seine Jugendlichkeit, seinen dramatischen Elan und die Traumverlorenheit der großen lyrischen Augenblicke. Crankos Choreographie verdickte das Drama nicht durch pathetische Bolschoi-Manier. Er erstickte es nicht durch dekorativen Luxus. Er konzentrierte es auf das Wesentliche: die Zeichnung von Charakteren mit choreographisch-tänzerischen Mitteln und den Aufbau von Spannungsfeldern um jede einzelne Figur. Von allen Seiten floß Erfahrung aus vorangegangenen Arbeiten in diese neueste ein: der springlebendige Übermut, der tänzerische Spieltrieb, der sich schon in den handlungslosen Kurzbrennern ausgetobt hatte, fand sich nun als choreographisches Widerspiel zum Realismus wieder, der sich schon in »The Lady and the Fool« hervorgewagt hatte – hier allerdings noch sentimentalisch verkleistert, zu einer Ballettzuckrigkeit degradiert, die das Blinzeln ins Publikum noch nicht lassen konnte.

In »Romeo und Julia« davon nun keine Spur. Wahrheit und Geradlinigkeit, straffe Schürzung der dramatischen Knoten im Tanz, kein Ausbrechen in Beiläufigkeit. Keiner der Akteure wird mit tänzerischen Details beschenkt, nur um mit ihnen brillieren zu können. Jeder Schritt steht im Dienst des Dramas, das so stark von sich selbst gefesselt ist und so unausweichlich seinen Gang tanzt, daß es das beobachtende Publikum darüber ganz zu vergessen scheint. Tatsächlich ist das rein choreographische Geflecht des Stückes so dicht, daß es im Trainingssaal, ohne Kostüm, Maske, Dekor, dieselbe leidenschaftstrunken fesselnde Wirkung übt wie auf der Bühne.

Dabei hatte sich Cranko gar keiner besonderen dramaturgischen Kniffe bedient, seine Choreographie neu und ungewohnt erscheinen zu lassen. Er folgte der schlichten Vorlage, las sie und hörte ihr zu. Sie schien ihm wohl gerade in ihrer Shakespeare ehrfürchtig wahrenden Form am klarsten und ausdrucksreichsten, so daß er sich jeden kleineren zusätzlichen Punktgewinn durch Interessantmacherei versagen zu können glaubte.

Es erweist sich schon daran, daß Cranko durchaus noch einer älteren Choreographengeneration zuzuzählen ist – jener, die noch traditionalistisch fühlt, sich der Vergangenheit verbunden weiß, die schließlich auch noch gar nicht lange zurücklag.

Cranko war ja künstlerisch aufgewachsen inmitten der Gründergeneration des englischen Balletts, das von Ninette de Valois, Marie Rambert, Frederick Ashton beherrscht wurde. Wenn Cranko einige Jahre später Tschaikowskys »Nußknacker« choreographierte, dann meinte man, durch den Frohsinn und Übermut des ersten Aktes immer ein bißchen das schlechte Gewissen klopfen zu hören, sich dramaturgisch vom Original zu weit entfernt zu haben. Wie ein Aufatmen Crankos wirkte es anschließend dann, wenn er Hals über Kopf zu den Schlachten des Mausekönigs mit den wackeren Spielzeugtruppen heimkehren konnte ins Herkömmliche. Die völlige dramaturgische Neuschrift eines klassischen Balletts, wie sie schließlich Neumeier mit seinem »Nußknacker« und härter noch mit »Illusionen – wie Schwanensee« vollzog, lag Cranko fern. Dieser viel freiere Umgang mit den überlieferten Vorlagen fiel erst in die siebziger Jahre – in eine Zeit, in der Crankos Lebensweg schon beinahe ausgeschritten war. Es kann kein Zweifel sein, daß ihm selbst die Einstudierung des Tschaikowsky-»Dornröschen« durch Rosella Hightower nach der Version der Nijinska wesensgemäßer ist, als es jede dramaturgische Aufforstung von junger Hand gewesen wäre. Crankos Ballettästhetik, so oft sie auch Kapriolen zu schießen schien, visierte kein Neuland. Sie begnügte sich mit der Auszirkelung einer dauerhaften Stätte für Tanz, in der das Ballett erst einmal heimisch werden sollte, zementiert durch Schule, Repertoire, die Sympathie des Publikums, die Unterstützung aller. An den Balken, die er im Begriff war, mit der rechten Hand zu errichten, wollte er mit der linken durchaus nicht gleichzeitig rütteln. Er war jeder Schnelligkeit abgeneigt. Er wußte, daß es zunächst um Konsolidierung einer Ästhetik ging, darum, sie in der Liebe festzuschreiben und nicht immer wieder aufs neue in Frage zu stellen. Daß ihm freilich der Tod so schnell die Möglichkeit nehmen sollte, sein Werk fortzuführen, ist tragisch. Es hätte schon sein können, daß er in reiferem Alter der junge Umstürzler geworden wäre, der zu sein er sich bis ans Ende seiner Tage notgedrungen verkniff.

Cranko visierte das Establishment, und dies nicht etwa kritisch. Er wollte in Stuttgart ein eigenes Establishment züchten: eine Compagnie, ein Repertoire, eine Schule, ein Publikum, durch gemeinsame Freuden, gemeinsame Interessen einander verbunden. Dieses Establishment gab sich jedoch von Natur aus unautoritär. Es antiautoritär zu nennen, wäre allerdings übertrieben, denn natürlich stand Crankos Autorität nie in Frage. Was sein Stuttgarter Direktorium jedoch auszeichnete und das Repertoire der Truppe schließlich auch prägte, war der ununterdrückbare Hang zum Humor. Ein Establishment aber, das sich auf Heiterkeit gründet, hat es selbst im Ballett wohl noch niemals gegeben. Cranko setzte es durch.

Bis zu einem gewissen Grade war er ein Mann des Frohsinns, der Clownerie. Wie bei jedem großen Clown aber, war auch sein Witz getränkt mit Melancholie, mit Trauer, tief durchdrungen von Depression. Das nahm dennoch seinem choreographischen Scherz nicht den Übermut, es brach seinen Pointen niemals den Hals, es zog seinem Witz nicht den Stachel. Cranko ist fraglos der leichthändigste Erfinder choreographischer Komik, gewissermaßen der Aristophanes des modernen Balletts. Er war ein Meister der Satyrspiele nach einem Jahrhundert der getanzten Tragödien. Er konnte seine Humore hinüberlaufen lassen in eine choreographische Doppelbödigkeit, die nicht preisgab, wieviel Schmerz, wieviel Spaß sich in ihr vereinten.

Erstaunlicherweise ist das Kapitel Humor im Welt-Ballett ziemlich düster, und kurz ist es auch. August Bournonville, der französische Däne, verstand sich mit seinen blonden Balletten fast als Einziger vorzüglich darauf. Er infiltrierte seiner Choreographie Lebensfreude, sie flogen dahin, angetrieben wie von einem Blinzeln des Glücks, tränenlos, voller Holdheit. Er schuf Choreographien von knackigem Charme, frisch und jungmännlich. Sie zündeten aktive Heiterkeit. Darin ähneln ihnen aber manche Arbeiten Crankos. Die passive Heiterkeit, die sich am Gestolper entzündet, sich über Gebrechen lustig macht, die sie dem Gelächter preisgibt, ist verhältnismäßig häufig. Ballette, die sich damit amüsieren, sich selbst zu parodieren, sind meist diesen Kalibers. Aber auch einzelne Personen bei Cranko wie der stockschnupfengepeinigte Gremio in »Der Widerspenstigen Zähmung«, dieser Bleichenwang des Balletts, sind nach dem Schnittmusterbogen gefertigt, der bis zur hampelnden Ballett-Commedia Massines zurückreicht. In seinen minderen Augenblicken näherte sich Crankos Arbeit denn auch gefährlich dem sonst gemiedenen Werk der choreographischen Zappelphilippe an.

Daß er indessen gerade in einem Werk wie »Der Widerspenstigen Zähmung« der Gefahr entging, dem ballet mimé auf den zähen Leim zu gehen, macht den Reiz, die Stärke und den Erfolg des Balletts aus. Im choreographischen Clinch, in den er die Hauptfiguren treibt, entwickelt Cranko eine Heiterkeit, die sich auf den Boden der Tanzbühne niederschreibt. Der Tanz hinterläßt humoristische Spuren. Das hatte es bisher nur in den seltensten Fällen gegeben, und in abendfüllenden Balletten

John Cranko und Juri Grigorovitch

John Cranko und Galina Ulanova

schon gar nicht. In Jerome Robbins' »Fancy Free« etwa hatte man ähnlichen choreographischen Spaß auffliegen sehen; aber das Einzige, dem sich Crankos »Widerspenstige« wirklich vergleichen ließ, war der geniale tänzerische Überschwang der unübertroffenen und unverwüstlichen Musicalfilme Hollywoods in den fünfziger Jahren. Manchmal träumt man im Nachhinein, Cranko hätte analog zu Burt Lancasters frühem Abenteuerfilm für Richard Cragun den »Roten Freibeuter« als Ballett geschaffen – mit einer Bombenrolle natürlich darin für die unersetzbar prachtvolle Hella Heim.

Es ist das unverwechselbare Tanzklima der »Widerspenstigen«, das dazu geführt hat, in diesem Ballett – trotz aller kritischen Einschränkungen im Einzelnen – einen Wurf zu sehen, der im Welt-Ballett kaum seinesgleichen hat. Immer wieder scheint es, als wolle die Geschichte aus sich selbst heraus zu tanzen beginnen. Mehr noch: manchmal meint man sogar, die »Widerspenstige« sei vielleicht doch von Anfang ein Ballett gewesen, an ihm erst habe Shakespeares Phantasie sich in Wahrheit entzündet.

Das aber gerade macht die Einzigartigkeit der »Widerspenstigen« aus – wie übrigens auch die von »Romeo und Julia« und »Onegin«. In seinen abendfüllenden Hauptwerken gelang es Cranko auf geheimnisvoll unwiderstehliche Weise, eine Tanzatmosphäre zu schaffen, die schon in der Luft liegt, wenn der Vorhang sich zum ersten Mal hebt. Es ist ein Klima der Danzabilität, das sich offenbart. Es wirkt wie ein Sog. Es zieht den Tanz buchstäblich aus der Kulisse, und es verliert in den genannten Werken keinen Augenblick seine Konsistenz.

Dabei wird dieses Klima ohne jede Präparation erzeugt, ganz unaufwendig. Es stellt sich auf Anhieb ein – wie durch das Schwenken der Zweige in den Händen der Geisterkönigin im 2. Akt von »Giselle«. Verzauberung! In ihr war Cranko Meister. Doch wußte er durch Realismus zu verzaubern wie andere sonst nur durch Romantik.

Die Entwicklung von Crankos Humor läßt sich an der Reihe »Pinapple Poll«, »The Lady and the Fool«, »Cranks« bis hin zur »Widerspenstigen« leicht verfolgen. Die unentbehrlichen Zwischenstationen sind »Jeu de Cartes« und »Présence«. Aber auch von »Brouillards« muß in diesem Zusammenhang die Rede sein. Merkwürdig: alle drei wichtigen Werke dieses Genre tragen französische Titel.

Das ist natürlich nur Zufall. Es handelt sich schließlich um die Originaltitel der den Choreographien zugrunde liegenden Kompositionen von Strawinsky, Bernd Alois Zimmermann und Claude Debussy. Aber auffällig und bemerkenswert ist es eben doch, daß sich alle drei Ballette um den französischen Kulturkreis formieren, einer Ästhetik verschworen oder zumindest auf sie anspielend, die romanischer Herkunft ist: diese Ecole de Paris, die sich den Russen Strawinsky wie den Deutschen Zimmermann einzuverleiben verstand.

Cranko war versessen auf Eleganz. Im Privatleben eher bescheidenen Freuden geneigt, den »Wonnen der Gewöhnlichkeit«, dem herzlichen Umgang mit dem ungeschlacht Natürlichen, war ihm die Tanzbühne das Paradies der Raffinierung. Auf ihr wurde choreographisch die Summe aller künstlerischen und menschlichen Erfahrung gezogen, einem Verwandlungsprozeß unterworfen und nobilitiert. Das Landläufige wurde geadelt, behielt sich aber dabei immer den schlagkräftig wirksamen Fond an Simplizität. Nur daß es sich nun in kunstreichem Rahmen schimmernd entfalten durfte, entschlackt, gefiltert, kondensiert. Sein altes Aroma aber wurde treulich gewahrt. Crankos Ballette bestehen aus einer attraktiven Körperlichkeit noch in den köstlichsten Augenblicken der Sublimation.

Choreographie wurde im Verlauf der Zeit für Cranko, ohne sich dabei je in Bekenntnislust zu verlieren (mit der einzigen Ausnahme der »Initialen R. B. M. E.«, seinem Huldigungsballett an die Freundschaft), bewegte Niederschrift von Wissen um Lebenstatsachen, das sich teils exzentrisch verklausuliert, teils tragisch verschleiert (wie in »Spuren«) artikulierte.

Es ist das Merkwürdige, daß sich bei der Wiederbegegnung mit dem Werk Crankos die choreographische Substanz allmählich auszudünnen scheint, dafür aber sich der außerchoreographische Gehalt der Ballette deutlich verstärkt. Crankos Choreographie besitzt gerade an ihren rätselhaft faszinierendsten Stellen eine Doppeldeutigkeit, die sich durchaus nicht preisgeben zu wollen scheint. Zum einen bewegt sich jeder Schritt im Rahmen des vorgezeichneten Enchaînement, folgt dem logischen, wenn auch kapriziösen Zwang einer choreographischen Folge; zum anderen aber steht er in einem psychologischen oder einem dramatischen Kontext. Wie die Neue Musik organisiert auch das Ballett eine Vielzahl von Parametern: das Verhältnis der Choreographie zum Raum ist schließlich nur einer von ihnen. Aber nicht weniger wichtig sind diese: der Fall eines Spitzenjabots bei einem bestimmten port de bras oder die Blickwendung eines Tänzers, die sich mit der eines Partners kreuzt. Der Primat der Choreographie, durch die Spezialbegabung Balanchines oktroyiert, hat sich lange Zeit der Erkenntnis entgegengestellt, es gäbe vielleicht noch andere Kriterien für Tanz als die fulminante Musikhörigkeit des in sich selbst Genüge findenden Enchaînement. Es ist überraschenderweise der sogenannte Freie Tanz, der in diesem Augenblick der mörderischen Selbstbeschränkung dem Ballett einen Ausweg wies. Er zeigte auf, wieviel sprühender und leichtgängiger allein schon das choreographische Instrumentarium sein kann als jenes, das bislang – und zwar selbst von den Göttern des Balletts – einzig genutzt wurde.

Sicherlich hätte auch die Heiterkeit in Crankos Balletten oft anders ausgesehen, hätte er jene gekannt, die Twayla Tharp inzwischen entfesselt oder Jennifer Muller in »Beach«, einem Werk, das in seiner exzentrischen Fabulierlust in der Nachfolge von Crankos »Jeu de Cartes« und »Présence« steht. In jenen Gefilden des Freien Tanzes jedenfalls scheinen die echtblütigen Nachfolger Crankos eher zu wachsen als in jenen der choreographischen Humorlosigkeit, die von den Pathetikern des Freien Tanzes okkupiert sind, auch wenn sie zeitweilig bei der modischen Absurdität unterkriechen, die aber noch lange keinen Freibrief auf Dauer ausstellt für künstlerische Inkompetenz.

Tatsächlich erscheint Cranko neben der Tharp oder der Muller als ein Mann der älteren Generation, der noch Lehrbücher des Balletts nutzte, die inzwischen beiseite geworfen sind. Freilich: neue wurden noch nicht entwickelt, aus denen sich herauslesen ließe, wie sich ein abendfüllendes Werk choreographisch stabilisiert. Die Wege Jennifer Mullers weisen bei aller krassen Unterschiedlichkeit der Mittel eher in die unverbindliche Richtung der »Jewels« von Balanchine: drei in sich geschlossene Tanz-Akte stehen divertissementartig nebeneinander. Sie könnten auch getrennt aufgeführt werden. Gerade das aber ist in den Balletten Crankos niemals der Fall. Bei ihm schwingt das Enchaînement über die Pausen. Bei Balanchine wie bei der Muller dagegen setzt es von Akt zu Akt Neubeginn. Was selbst Crankos kleinere humoristische Ballette auszeichnet, ist ihr baumeisterliches Prinzip. Am schlagkräftigsten entfaltet es sich vielleicht insbesondere in »Jeu de Cartes«, das nur den einen Nachteil hat, gleichzeitig Poker und Rommée choreographisch zu mischen.

Crankos »Jeu de Cartes« folgt den Spielregeln des Poker choreographisch genau. Gewisse festgelegte Spielsituationen werden tänzerisch ausgereizt und dann schmunzelnd choreographisch dramatisiert. Das Spiel und seine Regeln sind sakrosankt. Aber jeder Schritt scheint dennoch abgefeimt und hinterlistig gesetzt: das besorgt der Joker, der im Poker natürlich gar nichts zu suchen hat. Er gibt sein Gastspiel als Star.

Die Rolle des Joker ist Egon Madsens Paradepartie geworden, und er fliegt in ihr seit Jahren von Erfolg zu Erfolg – einer der erstaunlichsten Tänzer nicht nur der Stuttgarter Compagnie. Ihn richtig zu werten, ist schwer. Madsen entspringt tanzend aller Einkerkerung in bestehende Kategorien. Er ist der junge Prinz, der Romantiker, der Lyriker, die Noblesse im Tanztrikot. Dann aber auch ist er der Erzkomödiant, der Spaßmacher, die Karikatur. Er ist beides zugleich: danseur noble und Charaktertänzer, Nachtigall und Kuckuck, Fisch und Fleisch. Er ist die personifizierte Vielfalt – und das mit Hochgenuß. Er schlägt sich und seiner Kunst immer erneut erfolgreich ein Schnippchen. Er ist dies und das – und beides vorzüglich. Man bewundert ihn, man liebt ihn. Seine Wandlungsfähigkeit hat ihn populär gemacht. Aber vielleicht war es auch umgekehrt, daß seine einzigartige Kunst eine Vielfalt entgegengesetzter Erwartungen erfüllte. Sei es, wie es sei: Egon Madsens darstellerische Begabung schlägt auch noch aus der abstraktesten Vorlage individuelles Kapital.

In »Jeu de Cartes« hatte er das Glück, auf Birgit Keil zu treffen, lange bevor sie noch die serene Tänzerin war, zu der sie inzwischen geworden ist. In »Jeu de Cartes« jedenfalls war sie auf herzzerreißende Art komisch und täppisch und virtuos. Sich die Augen mit den zierlichen Fäusten reibend, durchweinte sie als Herz Dame ihre Partie: eine bezaubernde Heulsuse, eine gestürzte Königin, vertrieben vom Thron ins Exil der Komik, ausgesetzt einer Choreographie, die auf nichts anderes aus war, als komisches Schindluder mit ihr zu treiben. Die Keil machte das bravourös. Sie besaß und besitzt eine außerordentliche Schönheit – und ihr Tanz profitiert glücklich davon. Er ist linienschön bis zur Vollkommenheit. Die Keil tanzen zu sehen, ist stets ein ästhetischer Hochgenuß. Aber wie sie hier komisch einherpurzelte, verhöhnt in ihrer lyrischen Lieblichkeit, gleichzeitig aber auch durch vorsätzliche Negation in ihr bestätigt und bestärkt: das war eine jener abgefeimten choreographisch heiteren Heimtückereien, durch die Cranko seine Stars zu Allround-Tänzern erzog. Durch den krassen Wechsel der Aufgaben trieb er die Langeweile selbst aus den hintersten Reihen der Compagnie.

Es ist offensichtlich, daß Cranko bis zum Augenblick der Premiere und einige Zeit darüber hinaus nie recht wußte, ob ihm ein Werk gelungen war oder nicht. Mitunter stand er der eigenen Arbeit geradezu hilflos, um Deutung verlegen, gegenüber; erschreckt von ihr oder zumindest sehr überrascht. Mit einer Variante hätte er wie André Gide (in »Paludes«) sagen können: »Ehe ich den andern mein

Ballett erkläre, erwarte ich, daß andere es mir erklären. Es gleich erklären wollen, heißt vorzeitig seinen Sinn beschränken, denn wenn wir wissen, was wir sagen wollten, so wissen wir nicht, ob wir nur das sagten. – Man sagt stets mehr als DAS.«

So zumindest ist es Cranko mit »Présence« ergangen, seinem choreographisch angepopten Feuerwerk des Nonsens und der tieferen Bedeutung. Wenn eines der berühmtesten und verworrensten Stücke des deutschen Theaters Christian Dietrich Grabbes »Scherz, Satire, Ironie und tiefere Bedeutung« ist, dann kann ihm auf der Tanz-Bühne eigentlich nur Crankos »Présence« die Waage halten. Auf ihr werden Don Quichote, Ubu Roi und Molly Bloom aus James Joyce's »Ulisses« gewogen. Zu einer choreographisch wilden Ehe gezwungen, tanzen drei Personen der Weltliteratur eines der komischsten Ballette, die existieren: Protagonisten eines absurden Theaters des Tanzes, nach dem Ionesco sich die Finger geleckt haben dürfte.

Cranko war ein Erfinder, kein Nachbeter und Nachahmer der Inventionen von anderen. Er ging seinen eigenen Weg, und gerade deswegen fühlte er sich auf ihm manchmal verloren. Er verlor sich gewissermaßen oft selbst aus dem Blick. Die choreographische Erfindung sprudelte dabei aus ihm unaufhaltsam heraus. Nur in welche Richtung der schöpferische Strahl schoß, das war Cranko bis zum Ende stets zweifelhaft. Das berühmte »Etonnezmoi« Diaghilews, an den vor Ehrgeiz fiebernden jungen Cocteau gerichtet, hätte auch Cranko seinem eigenen Werk zuflüstern können. Er wollte von ihm überrascht sein, und er wurde es oft. Der seltsam somnambule Schaffensprozeß Crankos, dies scheinbar vage, ungesteuerte Greifen nach formaler Einheit, Sinngebung, intellektuellem Enchaînement packte mitunter, ohne es selbst zu wissen, den höchsten Trumpf. Aber die unsichere Hand spielte ihn zögernd nur aus. Crankos Kunst war spontan bis zum Exzeß, einer inneren Vorbereitung allerdings fest vertrauend, die freilich nicht jedesmal Früchte zu tragen vermochte. Wie jeder Triumphator aber sah sich Cranko auf einen Dauererfolg eingeschworen, den kein Choreograph der Welt bruchlos zu erbringen vermag über die Jahre hin.

Doch einstweilen war an Meisterwerken kein Mangel. Sie wiederum zogen Meistertänzer heran, allen voran Richard Cragun. Wie Egon Madsen hatte er zunächst im Corps de ballet getanzt, als Ray Barra noch die Hauptpartien gehörten: ein kräftiger, athletisch wirkender junger Mann von brennendem Ehrgeiz, der neben der dänischen Helligkeit Madsens und seinem romantischen Aufflug irdisch wirkte, zäh und bemüht, ein Lastträger der

Tanzkunst einstweilen. Gerade diese anfängliche Fesselung in Erdenschwere aber, aus der sich tänzerische Eleganz und Leichtigkeit erst freikämpfen mußten, wurde für Craguns Aufstieg entscheidend. Sie bestimmte seinen künstlerischen Habitus. Zunächst brachte sie ihm die Hauptrolle in einem der aufregendsten und geschlossensten Kurz-Ballette von Cranko. In »Opus 1« zu Anton Weberns Passacaglia tanzte Cragun gewissermaßen sein eigenes Opus eins als echtblütiger Solist: ein Ballett von michelangelesker Schwere, lastend in seiner Formgebung, sich stemmend gegen den Druck des Schicksals wie die Sklaventorsi von Florenz: dahindämmernd, unerlöst, doch von Freiheit träumend, im Stein. Crankos »Opus 1« ist ein choreographisches Poem, das sich beinahe blockartig über die Bühne schiebt: von einer Bildmächtigkeit, die sich jeder choreographischen Diät (wie sie die meisten und gerade die besten Ballette Hans van Manens üben) enthält. »Opus 1« zieht als choreographische Vision aus einem einzigen Guß am Auge vorüber wie Wolkenbilder, von einem unsichtbaren Schöpfer gesteuert. Schritte scheinen sich aufzulösen. Nicht sie, denkt man, tragen den Tanz voran. Das Zusammengesetzte, choreographisch Verschraubte herkömmlicher Ballette wird in »Opus 1« überlagert von einem kaleidoskopisch anmutenden Prozeß, der aus festen Gruppierungen immer neue Formationen herausschüttelt, ohne die Konsistenz des Ganzen auch nur momentweise aufzulösen.

Die choreographische Dichte verändert sich. Sie ist es, die in Bewegung gerät: ein Tanz der Moleküle innerhalb einer stabilen Choreographie. Gerade das aber macht Crankos »Opus 1« anziehend: diese Rätselhaftigkeit, der man analytisch nicht auf den Grund kommt, ohne den Rätselsinn des Balletts zu beschränken und damit aufzuheben. Der ewige Atem des Stirb und Werde weht über das Stück und treibt es vor sich hin bis zum Schluß.

Richard Cragun war (an der Seite Birgit Keils) in diesem expressivsten und expressionistischsten Ballett Crankos die menschliche Kreatur, kolossaler Spielball außermenschlicher Kräfte. In »Opus 1« fand er erstmals – wenn auch in der passiven Gestalt des Opfers – zu einer körperlichen Existenz von stärkster Aktivität. Darauf aber gerade beruht die Gewalt des Stücks: es weiß den choreographischen Leidenszug crescendierend zu aktivieren, eine Kunst, an der ein Ballett wie Tetleys »Sacre«, geradezu blindwütig vor Versessenheit nach Bravour, kopflos vorbeifliegt. In Crankos »Opus 1« aber wird im Gegensatz dazu choreographische Stille zum inneren Sturm.

Craguns Fähigkeit in »Opus 1«, den choreographischen Opfergang voll tänzerischer Wucht zu durchleiden, wurde bedankt mit einer Umkehrung im doppelten Sinn: aus Tragik wurde Komik, aus Passivität Attacke. In Crankos »Der Widerspenstigen Zähmung« durfte Cragun nun zeigen, was er als Spielführer des Spaßes vermochte – aus einem Jüngling inzwischen zu einem tanzenden Mann gereift, ohne darüber an frischer Geschmeidigkeit einzubüßen. Cragun ist heutzutage sicherlich der tanzkräftigste Ballerino der westlichen Welt. Er tanzt ohne Schwere, doch mit Gewicht, dem donnernden Aplomb, den die volle Schubkraft der Technik entfaltet. Wenn ein Jumbo-Jet in die Luft geht, ist auch das schließlich ein anderes Bild als der Start einer munteren kleinen Privatmaschine. Craguns Tanz ist bestimmt vom ständigen Zustrom ungewöhnlicher Kraft in einen hervorragend kontrollierten Körper. Das wiederum gibt Cragun alle Freiheit, die natürliche Virilität seines Tanzes mit völliger Ungezwungenheit auszuspielen. Sein Tanz besitzt bei aller Großkalibrigkeit immer in der Hinterhand noch erstaunliche stille Reserven. Er kann daher Risiken eingehen, die jeder andere von vornherein meiden müßte. Bei Cragun zahlen sie sich aus als zusätzliche Faszination. Das Schöne nun freilich: keine Tanzsekunde wird man Cragun nachweisen können, in der er mit seinem außerordentlichen Können künstlerisch über die Stränge schlug, dem Ballett, in dem er auftritt, ein Schnippchen schlagend.

Das aber zeichnet die ganze Compagnie aus und ist wohl das wichtigste Erbteil, das Cranko seiner Truppe vermacht hat: sie tanzt bei aller Brillanz demütig. Keiner drängt sich und sein Können unkünstlerisch vor. Stets ist die Interpretation jedes Einzelnen, auch der Stars, auf das Allgemeine gerichtet. Der Truppe kommt es nach wie vor darauf an, sich als Gesamtheit in Szene zu setzen und dabei treuhänderisch die Werke zu hüten und ihre choreographische Substanz. Dadurch vor allem hat sich das Repertoire der Stuttgarter frisch gehalten bis auf den heutigen Tag und ihre Leistung dazu. Kein Anflug zu tänzerischer Pomadigkeit macht sich bemerkbar. Es wird nicht geschmiert und nach Applaus geschielt. Kein Tänzer biedert sich je dem Publikum an oder schert aus auf der Suche nach dem leichten Erfolg. Stuttgarts Ballett macht sich nach wie vor die Leichtigkeit schwer. Das hat es von Cranko gelernt.

Das Dritte der abendfüllenden Ballette, mit denen der Name Crankos unauflösbar verbunden ist, der »Onegin«, erzählt scheinbar auf herkömmliche Art eine Geschichte: ein Handlungsballett nach Puschkin wie andere Ballette sich Shakespeares bedienen oder Tolstois oder E. T. A. Hoffmanns oder Heines. Die Abwandlung der Vorlagen, derer sich die Ballette bedienen, ist nun allerdings eine Sache für sich, der inzwischen jedoch immer größere Bedeutung zukommt. Zu klein ist das Repertoire an abendfüllenden Balletten, daß es nicht im Grunde längst schon abgespielt und abgetanzt ist. Die bitter benötigte frische Blutzufuhr aber scheint man neuerdings nicht mehr von den Choreographen zu erhoffen, sondern von Dramaturgen. Damit dämmert freilich die Gefahr einer neuerlichen Literarisierung des Balletts herauf, die man vorgibt, gerade im Handlungsballett zu bekämpfen.

Der Haupteinwand gegen Crankos »Onegin« kam denn auch von literarischer Seite, und er wurde durchaus nicht einzig in Rußland laut. Man nahm Puschkin gegen Crankos Ballett in Schutz auch in Deutschland, wo man freilich schon lange nicht mehr auf die Idee kommt, Goethe oder Kleist vor ihren Inszenatoren in Schutz zu nehmen: Akt einer beinahe unerträglichen literarischen Heuchelei.

Unter der Handlungshaut von Crankos »Onegin« regen sich sehr seltene und künstlerisch durchaus eigenwillige Kräfte. Tatjana durchtanzt im Verlauf des Werkes einen Reifeprozeß, der aus dem Ballettstatus des Ewig-Mädchenhaften hinausführt in die Realwelt der Frau. Tatsächlich ist Crankos Ballett ein frühes Beispiel (wenn auch vollzogen mit überkommenen Mitteln) jener Thematik, in der es um den Eigenwillen der Frau geht. Nur daß ironischerweise in diesem Falle die Emanzipation sich gegenläufig vollzieht: der Leidenschaft ein für allemal, wenn auch zerrissenen Herzens, entsagend. Auch im »Onegin« wird im Grunde eine Widerspenstige gezähmt: doch hier durch sich selbst. Und es fragt sich durchaus noch, welche Dominanz die schrecklichere ist: die süffisante Onegins oder die brutale Petrucchios. Zähmung jedenfalls findet statt.

Das Ballett, an Mädchenrollen so reich, war an Frauenrollen stets arm. Crankos »Onegin« bietet eine der reichsten. Es ist in der Tat bedauerlich, daß Cranko im letzten Bild den Auftritt der Kinder Tatjanas aus seiner Neufassung des Balletts eliminierte, um jedem Verdacht der Sentimentalität zu entgehen. Gerade der Status der Mutter aber wurde mit diesem Auftritt deutlich gemacht, zu dem sich Primaballerinen wie unter einem Tabu bis heute nicht vortanzen dürfen. Die Mütter im Ballett sind eine händeringende Gluckenschar wie die in »Giselle« oder »Romeo und Julia«. Sie sind komische Fetzen wie die Witwe Simone in »La fille mal gardée« oder in »Cinderella«. Sie sind Paradedamen, die mit ihren prinzlichen Söhnen und Töchtern im Schlepp feierlich aufkreuzen: Staffagemütter im vorge-

»Pineapple Poll«
Barry Ingham, Elisabeth Parker,
Ludmilla Bogart

33

schrittenen Alter. Im »Onegin« Crankos dagegen darf Tatjana tanzend Frau und Mutter werden: ein ganz außerordentlicher Schritt nach vorn, der erstaunlicherweise dennoch bis heute fast ohne Folge blieb. Das schönste Beispiel immerhin für die neuentdeckte Fraulichkeit im Ballett hat in Crankos Nachfolge inzwischen Frederick Ashton in »Ein Monat auf dem Lande« geliefert, einem Werk, das wie »Onegin« einer russischen Vorlage, in diesem Falle Turgenjews, folgt.

Die Entwicklung vom Mädchen zur Frau vollzieht sich im »Onegin« in einer Folge von pas de deux. Tatsächlich wird das ganze Ballett von ihnen nicht nur handlungsmäßig getragen, sondern formal bestimmt. Es erweist sich geradezu als eine Enzy-

klopädie des pas de deux, seiner vielfachen formalen und gleichzeitig psychologischen Möglichkeiten. Denn keiner dieser großen pas de deux, ob sie nun lyrisch oder dramatisch geführt sind, entläßt die Tänzerin unverwandelt. Verändert geht sie aus ihnen hervor. Im pas de deux kulminiert die getanzte Anfechtung, er führt die innere Entscheidung herauf. Die dramatische Funktion des psychologischen Wandels unter schwerer seelischer Belastung, diese Drehmomente des Balletts, hat Cranko gerade im »Onegin« in der Folge seiner pas de deux immer wieder hinreißend exemplifiziert.

In der Titelrolle hat sich Jahre hindurch Heinz Clauss ausgezeichnet, der erst, aus Hamburg kommend, zur Stuttgarter Truppe stieß, als der Erfolg

John Cranko mit Marcia Haydée
und Bundespräsident Walter Scheel

schon deutlich in Sicht war und sich zu konsolidieren begann. Daran hat Clauss tanzend mitgearbeitet auf ebenso noble wie charaktervolle Weise. Denn auch das ist geradezu eine Kennmarke des Stuttgarter Stils geworden: die explosiv-attraktive Mischung aus Eleganz und Charakter, vergleichbar jener aus Leichtigkeit und Gewicht. Heinz Clauss hatte sich in Hamburg unter den Augen des Meisters das Balanchine-Repertoire erarbeitet. Er kann noch immer im nachhinein, trotz lebhaftester internationaler Konkurrenz, als einer der feinsten Interpreten des »Apollon musagète« gelten. Gerade dieser balanchineske Schliff schien nun allerdings gerade in einem handfesten Theaterballett, wie dem Stuttgarts unter Cranko, nicht zu den Trümpfen zu zählen – abgesehen davon, daß Clauss bereits entscheidende Jahre älter war als Richard Cragun und Egon Madsen, die jungen Publikumslieblinge, die der Compagnie inzwischen erwachsen waren.

Clauss nahm die Herausforderung auf. Er bestand sie auf außerordentlich eindrucksvolle Weise. Er hat in dem knappen Jahrzehnt, das er der Truppe angehörte – er leitet nun als Nachfolger der verdienten Anne Woolliams die John Cranko-Schule des Stuttgarter Balletts – den Charakter der Compagnie ebenso leidenschaftlich mitbestimmt, wie es die aktiven Solisten noch heute tun. Clauss war ein Tänzer von ernster Freundlichkeit – oder freundlichem Ernst, wenn man so will. Er besaß ein untrügliches Gefühl für das schöne Maßhalten. Nie überzog er den Ausdruck. Stets hielt er seine Interpretation schlank, schlackenfrei. Niemals stopfte er sie mit Ausdrucksballast, um sie mit Bedeutung zu nudeln. Clauss zählte außerhalb des Theaters sicherlich zu den unauffälligsten Tänzern, die je gelebt haben. Er löschte sich anscheinend wie zur Erholung schon in der Kulisse selbst aus. Er wurde zum Tänzer gewissermaßen immer erst auf der Bühne. Dort erwies er seine straffe Formkraft, eine Intelligenz, die sich durchaus nicht nur automatisch in jedem einzelnen Muskel regte; Intelligenz als Reflex sozusagen. Clauss steuerte sie aus. Er behielt tanzend den Kopf stets oben. Er zeigte deutlich immer Einsicht in das, was er tat. Man hätte das einen Verfremdungseffekt nennen können, wenn sich Clauss nicht natürlich dennoch stets mit jeder Rolle zutiefst identifiziert hätte. Doch schien es ihm gegeben, sich selbst jederzeit Spiegel zu sein, sich zu beobachten und aus diesen Beobachtungen noch während des Tanzens bedeutenden Nutzen zu ziehen: ein Mann, stets zu sich selbst auf Distanz. Er interpretierte die verschiedenartigsten Rollen mit einer Art stillem Spürsinn dafür, sie sich anzuverwandeln, ihnen sein Siegel aufzudrücken. Er war durchaus kein Romantiker, doch er konnte romantisch sein. Eher gemäßigten Temperaments, konnte er dennoch leidenschaftliche Ausbrüche durchtanzen, die zittern machten. Er besaß Heiterkeit und Serenität, eine menschlich bescheidene Gelassenheit, die auf der Tanzbühne Wunder wirkte. Heinz Clauss war ein Tänzer so starker Eigenart, daß es für ihn keinen Ersatz geben wird.

Gerade als »Onegin« war er in seinem Element. Aus süffisanter Feinheit, Nonchalance und Desinteresse, aus willentlich kränkender Passivität führte er die Rolle über schwankende Beklommenheit in eine alle Dämme niederreißende fiebrige Passion, aus der dann der Schluß – pas de deux wie ein Feuerwerk der ineinanderschießenden Leidenschaften bricht. Es ist diese Gegenläufigkeit in der Entwicklung der Charaktere Tatjanas und Onegins, die Cranko in der Choreographie seiner pas de deux mit seismographischem Gefühl für das unterschwellige Beben, die wechselnden Hitzegrade der Seelenzustände seiner Helden niederschrieb.

Im »Onegin« wie in »Der Widerspenstigen Zähmung« hatte sich Cranko musikalischer Arrangements von Kurt-Heinz Stolze bedient, der ihm entlegene Tschaikowsky-Stücke beziehungsweise Scarlatti-Kompositionen einrichtete. Einzig für sein »Carmen«-Ballett wendete er sich an einen renommierten Komponisten und erbat sich eine Original-Partitur. Wolfgang Fortner schrieb sie, doch fiel die Arbeit an »Carmen« wohl in eine jener Perioden, in denen Crankos choreographische Fruchtbarkeit sich unter der Hand in Dürre verwandelt zu haben schien.

Fortners »Carmen«-Partitur war zweifellos die anspruchsvollste und avancierteste, die Cranko für eines seiner abendfüllenden Ballette nutzte. Sie ging weit über Brittens »Pagodenprinz« hinaus, ganz zu schweigen von den musikalischen Klitterungen Stolzes, deren Behelfscharakter Cranko selbst nur allzu deutlich bewußt war. Natürlich hätte er es vorgezogen, einen neuen Tschaikowsky an seiner Seite gehabt zu haben, der in genialer Demut bereit und befähigt gewesen wäre, jeder choreographischen Intention nach genauer Vorschrift musikalisch auf die Sprünge zu helfen. Hans Werner Henze aber schien der letzte gewesen, sich choreographischem Anspruch willig zu beugen, als er nach Ashtons genauer Minutage »Undine« schrieb. Aber gerade an ihn wollte sich Cranko nicht wenden. Zu stark wirkte einstweilen noch die Obsession fort, sich aus Ashtons Bannkreis entfernen zu müssen. Alle anderen Komponisten aber, so willig sie auch gewesen wären, ein Ballett für Cranko zu schreiben, unterwarfen sich naturgemäß eher den Zwängen des musikalischen Materials als denen der Choreographie. Es ging ihnen stets darum, zunächst einmal eine stimmige, in sich geschlossene Partitur zu schreiben von musikalischem Eigengewicht und Eigengesicht, deren Gebrauchscharakter als Ballettmusik eher vertuscht als hervorgehoben werden sollte. Cranko schwebte naturgemäß der umgekehrte Weg vor. Er benötigte zu allererst eine tänzerische Gebrauchsmusik, die darüber hinaus sich gern besonderer Qualitäten erfreuen durfte. Doch hatte unabdingbar die Musik im Dienste des Balletts zu stehen, nicht umgekehrt. Ihre Besetzung mußte in einen normalen Orchestergraben passen. Sie mußte von jedem Orchester ohne allzu große Schwierigkeiten, ohne eine Fülle zusätzlicher Proben gespielt werden können. Cranko brauchte für die reiche Gastspieltätigkeit seiner Compagnie sozusagen handfeste Tournee-Musik.

Nun aber zeigte es sich, daß die einst unbehauste Musik, die früher liebend gern dem Ballett zu Diensten gewesen war, längst bei ganz anderen Auftraggebern untergekrochen war, die ihr noch zudem jede Freiheit gewährten. Ihr, der Musik, erfüllte man jeden Wunsch; und wenn man nicht gerade die Opernhäuser in die Luft sprengte, selbst ihren noch gar nicht geschriebenen Takten dienstbar zu sein, dann glaubte man beinahe, sich dafür auch noch entschuldigen zu müssen. Sich freiwillig ins choreographische Joch zu begeben, fiel der Musik jedenfalls durchaus nicht mehr ein.

Nun fragt es sich natürlich, wie ernst es Cranko tatsächlich war, sich einer neuen Musik zu bedienen, von der er durchaus wußte, daß ihre Sperrigkeit, ihre Kompliziertheit, ihr abweisender Charakter seinem choreographischen Sendungsbewußtsein, Ballett für die Welt zu machen und nicht nur für eine schmale Elite, entgegenstand. Crankos musikalischer Geschmack hatte sich wohl auch nicht tief in die Gegenwart vorgearbeitet. Die von ihm genutzte Musik weist ihn eher als konservativ aus, auch wenn er gelegentlich für experimentelle Arbeiten wie »Présence« oder »Die Befragung« Kompositionen Bernd Alois Zimmermanns nutzte.

Das Werbende der Ballette Crankos, ihr Liebesbedürfnis fordern bis zu einem gewissen Grade auch Liebenswürdigkeit von der Musik. Tatsächlich gibt es ja sogar unter seinen handlungslosen Choreographien keine, die man als kühl und verschlossen bezeichnen könnte, einzig mit sich selbst und nicht mit dem Publikum beschäftigt. Alle tanzen dem herausfordernden autonomen Anspruch der zeitgenössischen Musik deutlich weit aus dem Wege. Witzigerweise hätten die meisten der von Cranko genutzten Kompositionen auch schon von Petipa in seinen letzten Lebenjahren choreographiert werden können.

Das freilich war bei »Carmen« nicht der Fall. Fortners intelligente Bizet-Paraphrasen entwerfen durchaus ein prägnantes, eigenwilliges musikalisches Bild des Geschehens. Dabei hatte es Cranko im Rückgriff auf Merimées Novelle vorgeschwebt, nicht die unsterbliche Zigeunerin, sondern ihr Opfer in das Zentrum des Balletts zu rücken. Die Verwilderung der Gutmütigkeit, die Vertierung des Menschen durch Leidenschaften, deren er nicht Herr zu werden vermag, zeichnete Cranko am beinahe klinischen Fall Don Josés, des Jungen aus den baskischen Bergen, der – ein anderer Parsifal – in die Schlingen der spanischen Kundry fällt. Crankos »Carmen« gab denn auch weniger Marcia Haydée in der Titelrolle als Egon Madsen Gelegenheit, tänzerisch ein Menschenporträt zu entwerfen, dessen Züge sich von Akt zu Akt deutlich vertiefen. Auch in Crankos »Carmen« wird Ballett zur düsteren Prozession menschlicher Leiden, zum Opfergang. Sein Ziel ist der Tod. Charakteristischerweise hatte es schon in Crankos Version des »Schwanensee« keine andere Erlösung der Liebenden gegeben als im Tode. Crankos Pessimismus, seine tiefgreifenden Depressionen, die schweren Anfechtungen, denen er sich psychisch unterworfen sah, wirkten schon verhältnismäßig früh auf sein Stuttgarter Werk ein, auch wenn sie sich später beinahe rasend verschärften und jeden Versuch, dennoch zum alten Frohsinn zurückzufinden, zur Grimasse erstarren ließen. Wo das Leben allmählich zum Alptraum wurde, mußten Crankos Ballette ihn zwangsläufig spiegeln. Am unausweichlichsten geschah das in »Spuren«, dem Galina und Valery Panov gewidmeten Ballett zum 1. Satz der 10. Sinfonie Gustav Mahlers.

In »Die Befragung«, dieser choreographischen Inquisition in drei Teilen, hatte sich das tänzerische Geschehen noch im Niemandsland der Avantgarde abgespielt: einer Parabel von kafkaesker Bedrückung, zwangsläufig und ausweglos zugleich. »Die Befragung« war trotz ihrer Sonderstellung im Werk Crankos dennoch insgeheim ein Anschlußballett, einscherend in den Kreis längst von Literatur und Theater, selbst von der Pantomime abgehandelter Thematik. Cranko fand ihr zusätzliche Bildhaftigkeit, doch hielt sie sich durchaus im Rahmen einer nur vagen Verdeutlichung des Grauens ohne direkten Konfrontationscharakter. Mit »Spuren« dagegen stieß Cranko über die letztlich unverbindliche Allusion weit hinaus. »Die Befragung« konnte gerade durch das letztlich Undefinierte und Verrätselte ihrer Form zu einem dunklen choreographischen Poem werden, das bei aller Beunruhigung, die es

John Cranko

36

übte, sich in gesicherten ästhetischen Kategorien bewegte. Es ließ der Realität wie der Aktualität keinen Zutritt. Es blieb geschmackvoll. Gerade damit machte Cranko in »Spuren« Schluß.

Valery Panov hat angemerkt, es sei Cranko gewesen, der ihm den Willen zum Widerstand gegen den politisch-diktatorischen Druck gestärkt habe, als man ihn, Panov, der um seine Ausreise nach Israel bei den sowjetrussischen Behörden eingekommen war, aus den Reihen des Leningrader Kirov-Balletts stieß. Zwei Jahre lang mußten Panov und seine Frau um ihr Visum kämpfen, die Folter der Demütigungen durchlaufen, zwangsweise vereinsamt, unter fortgesetzte Bedrohung gestellt, ihrem Beruf entfremdet. In diesen Jahren, in denen vor allem immer wieder die englischen Tänzer und Schauspieler für die Panovs demonstrierten, Clive Barnes in der »New York Times« mit einem »Offenen Brief« für die Panovs Partei ergriff, war es vor allem Cranko, der Panov ermutigte. Endlich in Israel eingebürgert, führte der erste Weg der Panovs denn auch zu Cranko nach Stuttgart. Das ihnen gewidmete Ballett freilich haben sie nie gesehen.

»Spuren« hat man vor allem angelastet, daß sie ein ebenso brisantes wie unerquickliches Thema mit den Mitteln des konventionellen Balletts abhandeln. Es geht um die halluzinatorischen Erinnerungen einer Frau, die, inmitten aller bürgerlichen Freiheiten, immer wieder heimgesucht wird vom unabweisbaren Grauen der Vergangenheit: dem Sträflingsdasein in jenen Lagern des Terrors, die nicht nur in der Sowjetunion ein wahres Archipel bilden. Unter allen politischen Balletten (sie sind rar genug) zeichnen sich Crankos »Spuren« durch ihre Direktheit, ihre verzweiflungsvolle Würde, durch die Unausweichlichkeit aus, die sie dem Zuschauer aufzwingt. Tatsächlich wird er ähnlich gebrandmarkt wie jene Gefangenen, die unter den niederfahrenden Scheinwerferbatterien zeigen, daß sie zwangsweise entmenscht und zu Nummern geworden sind. Nur Antony Tudor in »Echo der Trompeten« hat ähnlich eindringlich wie Cranko versucht, der Wirklichkeit auch im Ballett nahezukommen, die Schrecken dieser Welt zu beschreiben, die sich in immerwährendem Kriegszustand mit den Hoffnungen der Menschen, die in ihr leben, befindet. Noch in Kurt Jooss' »Grünem Tisch« wurde der Krieg hineinstilisiert in das Ritual traditioneller Totentänze. In den USA wie der Sowjetunion grassierte während des Krieges auch choreographisch der Durchhaltewille. In Manhattan amüsierten sich Jerome Robbins' Matrosen auf tänzerischen Landgängen, die offensichtlich von Pearl Harbour nichts wußten. In der Sowjetunion huschten Moissewitschs nachtdunkle

Partisanen verschwiegen ihre attraktiven choreographischen Pfade von Sieg zu Sieg und notfalls zu dekorativem Tod. Erst in Tudors »Echo der Trompeten« spiegelt sich die Aggression und Brutalität der Gegenwart deutlich, direkt und gleichzeitig auf überpersönliche Weise. Hinter den tänzerischen Einzelschicksalen dieses Balletts über den Widerstand öffnet sich weit und klagend der Ausblick ins Überpersönliche. Das tut er gleichfalls in Crankos »Spuren«.

Es ist ein Ballett, das beklommen macht. Es löst die Wirklichkeit, die es beschwört, nicht in Harmonie auf. Bitterer Geschmack bleibt zurück. Crankos »Spuren« entlassen den Zuschauer nicht, ohne ihn zur Auseinandersetzung zu zwingen – und dies auch mit den Möglichkeiten des Balletts überhaupt. Die Konsequenz jedenfalls, mit der Cranko in »Spuren« am Ende versucht hat, über alles herkömmlich Nebulöse des Balletts und seiner herrlich eingängigen Traurigkeit zur ernsten Wirklichkeit der Gegenwart zu finden und damit zu einer neuen Thematik, verdient vollen Respekt.

Marcia Haydée tanzte »Spuren« mit der einzig ihr eigenen Eindringlichkeit. Von allen bedeutenden Ballerinen der Welt ist sie sicherlich die Sensitivste. Man meint, selbst der heimliche Fall eines Rosenblattes könne sie schaudern machen. Ihr Reaktionsvermögen spricht deutlich auf den feinsten Reiz an. Das hat sie zu einer zarten Tragödin des Balletts gemacht, die alle Stationen und Situationen menschlichen Lebens tanzend zu durchspielen vermag, diesem hochgezüchteten, gesiebten und kontrollierten Naturell vertrauend, über das sie verfügt. Ihr Tanz ist nie Solo-Tanz. Er antwortet immer: auf dramatische Situationen, auf Stimmungen, Gefühle, Partner. Die Haydée tanzt, auch allein auf der Bühne, stets pas de deux: mit dem Werk, in dem sie erscheint. Sie beteiligt, weil sie beteiligt ist: teilhat an diesem choreographischen Geflecht, das nur wichtig ist, soweit es das Drama einfängt, die Tragödie, das Lustspiel, die Heiterkeit. Die Haydée verwandelt choreographische Enchaînements in dramatische Notwendigkeit und macht sie gleichzeitig einsichtig. Sie leitet die Aufmerksamkeit der Zuschauer durch die Ballette, in denen sie tanzt. Sie läßt sie nicht abschweifen. Sie gibt sie nicht frei. Nicht auf sich selbst konzentriert sie dabei das Augenmerk, sondern auf den dramatischen Kontext, in dem ihre Rolle steht. Dadurch strahlt ihre Kraft bis in die fernsten dramatischen Winkel der Ballette und läßt sie als passionierende Ganzheit erscheinen.

Es hieße natürlich ihre Kunst beschränken, in ihr einzig die Ballerina Crankos zu sehen. Tatsächlich aber hat ihr Cranko immer wieder die wichtigsten ihrer Rollen zu Füßen gelegt, und es hat den Anschein, als wären sie speziell für sie geschaffen; mit ihnen wird die Haydée zweifellos in die Geschichte des Balletts eingehen. Freilich wird man dabei lange Umschau halten müssen nach einer Tänzerin, deren künstlerische Spannweite gleichermaßen Rollen wie Tatjana in »Onegin« und Katharina in »Der Widerspenstigen Zähmung« umgreift: den Höhepunkt des dramatisch bewegten Lyrismus wie den Höhepunkt der choreographisch gezähmten Groteske. Die Haydée kann die Witzigste wie die Traurigste sein, im Handumdrehen. Ihr Temperament gestattet es ihr, der Tragik ein feines tänzerisches Vibrato zuzusetzen; Schwingungen zu erzeugen, die alles melancholische Grau aus ihren Interpretationen vertreiben. Es gibt im Tanz der Haydée keine Einheitstrauer und keine Einheitslust, kein Einheitskichern und kein Einheitsweinen. Jede ihrer Rollen klagt auf andere Art, liebt auf andere Weise, stirbt ihren eigenen Tod, tanzt ihre eigenen Wege. Es gibt in diesem Punkt für die Haydée keine Überlieferung, keine Routine, keine Hilfe. Die einzige kommt aus der eigenen Brust. Die Stärke der Figuren, die Marcia Haydée verkörpert, beruht denn auch in der Lebenskraft ihrer Interpretin, dieser Hingabe, die alle Vorlagen löscht und alle Klischees sprengt. Die Phantasie der Haydée, die Empfindlichkeit und Empfänglichkeit ihres Wesens ermöglichen ihr ein Einfühlungsvermögen in tänzerische Charaktere, das bis zur Selbstaufgabe führen würde, wirkte nicht der Zwang zur Umsetzung des Erlebten und Erfühlten mit Hilfe tanztechnischer Mittel in eine künstlerische Form der Preisgabe des eigenen Wesens entgegen. Dies Schwingen zwischen den Herausforderungen der Phantasie und ihrer gleichzeitigen Eingrenzung durch die Form macht den Tanz der Haydée immerfort anrührend, einleuchtend, passionierend.

Leichter fällt es wahrscheinlich, den Anteil Crankos an der Kunst der Haydée herauszurechnen als umgekehrt jenen zu fixieren, den die Haydée am Werk Crankos hat. Es ist bekannt, daß Cranko in den wenigen Fällen, in denen er nach der Übernahme einer eigenen Compagnie für andere Truppen Ballette kreierte, ihre Choreographie dennoch mit den ihm vertrauten Stuttgarter Tänzern entwickelte, deren Körper allein ihn zu inspirieren vermochten, und natürlich tanzte gerade in dieser Beziehung Marcia Haydée allen voran. Sie war tatsächlich so etwas wie Crankos tanzende Muse, und das Bild eines umgekehrten »Apollon musagète«, der nicht die Musen belehrt, sondern von ihnen diskret Unterweisung bezieht, könnte durchaus für Cranko zutreffen. Eins ist gewiß: aus diesen Wechselbeziehungen zwischen Choreographen und Interpreten, ihrem Vertrauensverhältnis und ihrer Freundschaft, quollen Crankos Choreographien in viel stärkerem Maße als die anderer Ballettschöpfer, von Béjart vielleicht abgesehen. Aber natürlich ist die starke befruchtende Bindung Crankos an die Haydée wiederum nichts anderes als Spiegelung jener frühen Erinnerung an die Arbeit Ashtons mit Margot Fonteyn. Cranko versuchte, sich seine eigene Fonteyn heranzuziehen. Das mißlang auf die bewunderungswürdigste Weise. So erging es schon Böttcher: am sächsischen Hof eingesperrt, Gold zu machen, erfand er aus Versehen Europa das Porzellan.

Wie zur Entschuldigung für den unwillentlichen Verrat choreographierte Cranko für die Fonteyn sein »Poème de l'extase«. Der Dankbarkeit aber, die er seinen Tänzern gegenüber empfand, setzte er zu Brahms' 2. Klavierkonzert als »Initialen RBME«, Richard, Birgit, Marcia und Egon gewidmet, den Solisten des Stuttgarter Balletts, ein tanzendes Denkmal.

Von den handlungslosen Balletten Crankos ist es das größte, das einzige von sinfonischem Ausmaß, eine dahinflutende Hommage voller Beschwörungen und tänzerischer Einflüsterungen, hochromantisch und üppig, ein rauschendes Ballett. Dabei war bis dahin eher das schlank dahinexerzierende Tanzstück Crankos choreographische Domäne gewesen, ausgewiesen durch »Katalyse«, »L'Estro Armonico«, das »Konzert für Flöte und Harfe« Mozarts. Nun warf sich Cranko plötzlich ins choreographisch Rhapsodische. Eine neue choreographische Rhetorik in freieren Formen setzt mit den »Initialen« ein, die durchaus ins Große zielt, den Raum in die Ferne zu weiten versucht. Immer waren Crankos handlungslose Choreographien auf geheime Art Kammerballette, willentlich beschränkt in der Aussage, ohne sonderlichen Tiefgang, sich mit gepflegten Formspielen begnügend. Die »Initialen« dagegen greifen viel weiter aus. Sie finden zu einem Ernst, der gerade den handlungsfreien Balletten Crankos bisher fehlte und ihren hübschen Verblüffungen. Mit den »Initialen« meldete Cranko zugleich den Anspruch neu an, den Neumeier erst mit seiner Choreographie zu Mahlers »Dritter Sinfonie« voll erfüllte: das sinfonische Ballett auf die Bühne zurückzuführen. Wohl hatte Béjarts verbrüderungstrunkene »Neunte Sinfonie« Hallen und Arenen der Welt inzwischen tanzend durchwandert. Doch eher als tänzerische Massenaktion mochte das Cranko erscheinen. Er versuchte eher, Balanchine pari zu bieten und dem »Ballet Imperial«, seine starren Ordnungen allerdings aufbrechend wie mit einem Rückgriff auf die Ästhetik Nijinskas.

Doch die »Initialen«, so hoch sie zielten, fanden im Werk Crankos keine Nachfolge. Im Grunde war Cranko doch kein Pathetiker. Er war auf dem Gebiet des handlungsfreien Tanzes eher ein Miniaturist, ein Mann der pointierten Kurzformen, der choreographischen Aperçüs. Ihrer feinsten Sammlung unterstellte er neun Préludes von Debussy und gab ihr nach dem Einleitungsstück den Namen »Brouillards«.

Ein ballet blanc der zauberhaft leichten Erfindung. Kleine Kontemplationen über verschiedene Themen, choreographische Tupfer, hingesprenkelte Szenen, lyrisches Luftschnappen zwischen hervorkobolzenden Späßen, Chaplineskes mit Anmut garniert. Hoheitsvolles antwortet dem Spitzbübischen, die kleine Melancholie der heiteren Resignation. Das Ballett schlingt sich von Szene zu Szene fort, Duos und Trios mit kleinen Gruppen kontrapunktierend. »Brouillards« zeigt Crankos Meisterung der kleinen Formen, die er auch in seinen spektakulären Gala-pas de deux auszustellen liebte, noch einmal auf besonders feine und reizvolle Weise.

Was ihn an diesen kleinen Serien choreographischer Kabinettstücke offensichtlich reizte, war, daß sie ihm die Möglichkeit boten, einer Vielzahl von Talenten gefällig zu sein. Die Truppe, in den großen abendfüllenden Balletten wie »Onegin« oder »Der Widerspenstigen Zähmung« oft dazu verurteilt, nichts als tanzende Staffage für die Solisten zu sein, bekam in »Brouillards« eine Fülle dankbarer Aufgaben gestellt, die den Beifall des Publikums finden mußten. »Brouillards« sind ein Werk des Ansporns, gleichzeitig eine Choreographie von allseitiger Geschlossenheit, so weit sie auch nach den entgegengesetztesten Polen ausgreift.

Es ist müßig, darüber zu rätseln, wie Crankos Arbeit sich fortgesetzt hätte. Sie ist tragischerweise allzu früh an ihr Ende gelangt. Aber sie hat zuvor ihr Ziel noch erreicht: Crankos Truppe bietet Ballett für die Welt, und sie bietet es triumphal mit seinen Balletten. Sie haben sich darüber hinaus ihren sicheren Platz im Repertoire zahlreicher anderer Compagnien erobert. Cranko gehört heute fraglos auf anspruchsvolle Weise zu den populärsten Choreographen der Welt und zu den erfolgreichsten noch dazu. Er hat nachgewiesen, daß man, gestützt auf choreographische Begabung, mit der notwendigen Konsequenz aus verhältnismäßig geringen Anfängen eine Compagnie und ein Repertoire aufbauen, kann in ungeahnt kurzer Zeit. Wenn man bedenkt, wie lange London oder New York gebraucht haben, das Royal Ballet heranzubilden und durchzusetzen oder das New York City Ballet, dann mutet das Tempo, das Cranko in Stuttgart einschlug, beinahe utopisch an.

Doch Cranko verstand es, die Utopie Wirklichkeit werden zu lassen. Er versuchte, sie – einen Traum – fest im Alltag zu verankern, Weltklasse-Ballett auch außerhalb der Metropolen heranzuzüchten und es sogar einem Opernhaus, das von Alters her geübt ist, sich von vornherein gegen die Autonomie des Balletts zu sperren, auf behutsame Art einzugliedern. Seine Compagnie hat sich, von ihm eingewiesen, eine Popularität ertanzt, die eine feste Basis bildet, auf der sich bauen läßt. Gleichzeitig mit dem Aufbau der Truppe und dem keimenden Welterfolg legte Cranko den Grundstein zur Schule, die nun seinen Namen trägt. Denn wenn vielleicht selber kein großer Organisator, wußte er doch ganz genau, was es als Vordringlichstes zu organisieren galt: die Zukunft. Denn paradoxerweise garantiert im Ballett sie nur die Gegenwart.

Klaus Geitel

41 »Romeo und Julia«
Marcia Haydée, John Neumeier

»Romeo und Julia«
rgit Keil,
einz Clauss

»Romeo und Julia«
Marcia Haydée,
Ray Barra

44 »Romeo und Juli
Egon Madsen,
Richard Cragun,
David Sutherland

45 »Romeo und Juli
Corps de ball

46 »Romeo und Julia«
Joyce Cuoco, Egon Madsen

47 »Romeo und Julia«
Marcia Haydée, Richard Cragun

48 »Der Feuervogel«
Marcia Haydée, Ray Barra

49 »Hommage à Bolschoi«
Marcia Haydée, Richard Cragun

50 »Schwanensee«
Anita Cardus, Egon Madsen
und Corps de ballet

51 »Schwanensee«
Leigh-Ann Griffiths und Corps de ballet

52/53 »Schwanensee«
Birgit Keil, Richard Cragun
und Corps de ballet

56 »Jeu de cartes«
Birgit Keil, Egon Madsen

57 »Jeu de cartes«
Egon Madsen und Corps de ballet

58/59 »Jeu de cartes«
Birgit Keil, David Sutherland,
Kurt Speker, Marc Neal,
Andrew Oxenham

60 »Der Nußknacker«
Marcia Haydée, Egon Madsen

61 »Der Nußknacker«
Judith Reyn, Susanne Hanke, Bernd Berg

61

62/63 »Der Nußknacker«
Corps de ballet

64 »Présence«
Marcia Haydée, Richard Cragun,
Heinz Clauss

65 »Die Befragung«
Marcia Haydée, Kristine Elliott,
Egon Madsen

66 »Opus 1«
Oben: Richard Cragun und Corps de ballet
Unten: Birgit Keil, Richard Cragun

67 »Opus 1«
Bernd Berg, Birgit Keil
und Corps de ballet

68 »Opus 1«
Birgit Keil, Richard Cragun

69 »Konzert für Flöte und Harfe«
Judith Reyn und Corps de ballet

70/71 »Konzert für Flöte und Harfe«
Peter Marcus, Truman Finney,
David Sutherland, Dieter Ammann,
John Neumeier, Jiri Kylian,
Max Midinet, Ulrich Behrisch,
Richard Cragun, Jan Stripling

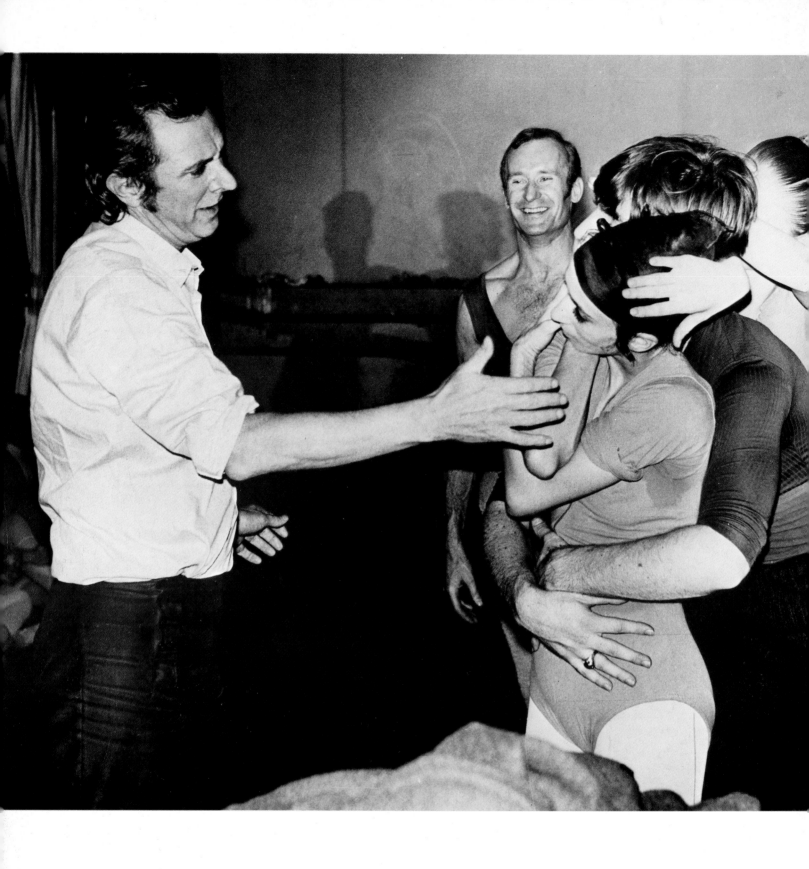

72 Im Ballettsaal: John Cranko,
Marcia Haydée, Heinz Clauss

73 »Onegin«
Marcia Haydée, Ray Barra

74 »Onegin«
Marcia Haydée, Heinz Clauss

75 »Onegin«
Oben: Joyce Cuoco, Richard Cragun und
Corps de ballet. Unten: Egon Madsen

76/77 »Onegin«, Corps de ballet

78 »Onegin«
Lucia Isenring, Richard Cragun, Egon Madsen

79 »Onegin«
Corps de ballet

80 »Onegin«
Oben: Sylviane Bayard, Kurt Speker,
Ruth Papendick, Hella Heim
Unten: Marcia Haydée, Reid Anderson

81 »Onegin«
Marcia Haydée, Heinz Clauss

82 *Im Ballettsaal:*
John Cranko mit Marcia Haydée
und Richard Cragun

83 *»Der Widerspenstigen Zähmung«*
Birgit Keil, Jan Stripling,
Jiri Kylian, Egon Madsen

82

84 »Der Widerspenstigen Zähmung«
Birgit Keil, Vladimir Klos

85 »Der Widerspenstigen Zähmung«
Richard Cragun und Corps de ballet

86 »Der Widerspenstigen Zähmung«
Judith Reyn, Bernd Berg

87 »Der Widerspenstigen Zähmung«
Ruth Papendick, Egon Madsen

88/89 »Der Widerspenstigen Zähmung«
Marcia Haydée, Richard Cragun

89

90 Im Ballettsaal:
John Cranko mit seiner Compagnie

91 Abflug nach New York:
John Cranko und Marcia Haydée

92 In New York nach der Premiere »Onegin«:
*Marcia Haydée mit John Cranko
und Walter Erich Schäfer*

93 In New York nach der Premiere »Onegin«:
John Cranko und sein Corps de ballet

94/95 »Brouillards«
Birgit Keil, Vladimir Klos, Heinz Clauss

96 »Brouillards«
Egon Madsen, Susanne Hanke

97 »Brouillards«
Corps de ballet

97

98 *John Cranko, Marcia Haydée*
und Thomas Erdos in Monte Carlo

99 *John Cranko*

100 »Carmen«
Marcia Haydée, Egon Madsen

101 »Carmen«
Oben: Marcia Haydée, Richard Cragun
und Corps de ballet
Unten: Birgit Keil und Corps de ballet

102 »Ebony Concerto«
Judith Reyn, Egon Madsen, Heinz Clauss

103 »Ebony Concerto«
Marcia Haydée, Egon Madsen, Heinz Clauss

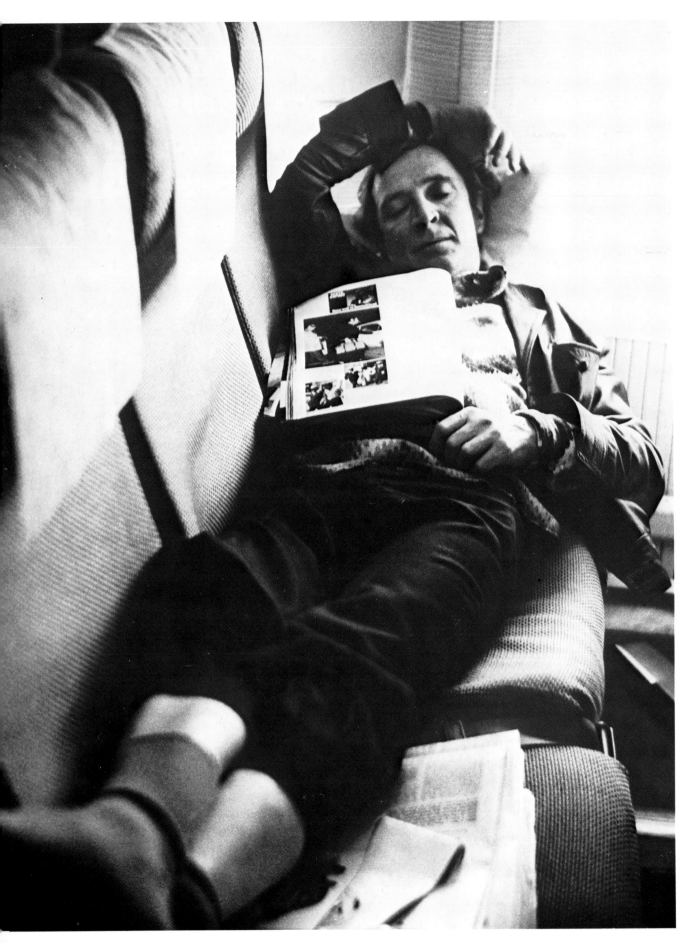

104 *John Cranko im Jet*

105 *John Cranko mit Alan Beale*
und Friedrich Lehn in Jerusalem

106 »Poème de l'extase«. Oben: Margot Fonteyn,
Egon Madsen, Richard Cragun
Unten: Marcia Haydée, Egon Madsen

107 »Poème de l'extase«. Margot Fonteyn,
Jan Stripling, Richard Cragun

108/109 »Poème de l'extase«. Marcia Haydée,
Richard Cragun, Heinz Clauss,
Jan Stripling, Bernd Berg

110 »Holbergs Zeiten«
Birgit Keil, Heinz Clauss

111 »The Lady and the Fool«
Egon Madsen, David Sutherland

112/113
»The Lady and the Fool«
Marcia Haydée,
Reid Anderson, Heinz Clauss
und das Corps de ballet

114 *Im Ballettsaal: John Cranko,*
sein Hund Artus und Wendy Auton

115 »L'estro armonico«
Joyce Cuoco und das Corps de ballet

116   »L'estro armonico«
Birgit Keil, Reid Anderson

117   »L'estro armonico«
Michael Sanchez, Dieter Ammann,
Reid Anderson

118/119   Im Ballettsaal

120 *»Initialen R.B.M.E.«*
Marcia Haydée, Vladimir Klos

121 *»Initialen R.B.M.E.«*
Marcia Haydée, Heinz Clauss und
Corps de ballet

122/123
»Initialen R.B.M.E.«
Richard Cragun,
Birgit Keil,
Marcia Haydée,
Egon Madsen und das
Corps de ballet

124/125
»Initialen R.B.M.E.«
Corps de ballet

126 »Die Jahreszeiten«
Birgit Keil, Susanne Hanke, Leigh-Ann Griffiths,
Marcis Lesins, Reid Anderson, Vladimir Klos

126

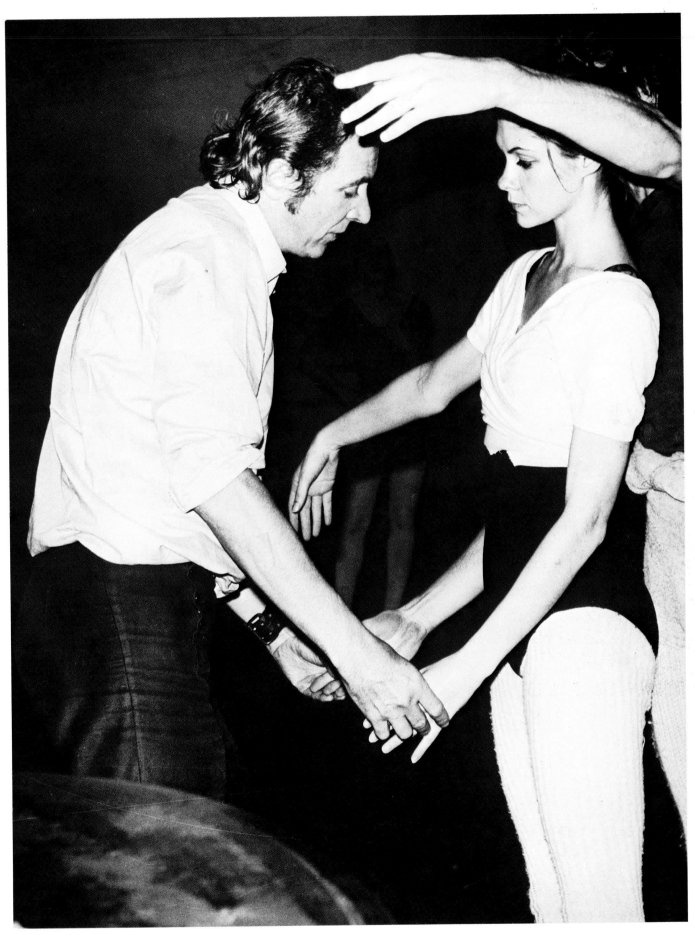

*127 Im Ballettsaal:
John Cranko mit Kevin O'Rourke*

128/129
Im Kirow-Archiv,
Leningrad

130 *John Cranko*

131 »Spuren«
Marcia Haydée, Heinz Clauss

132 »Spuren«
Marcia Haydée, Richard Cragun
und das Corps de ballet

133 »Spuren«
Marcia Haydée, Heinz Clauss

Crankos Choreographien in Stuttgart

Ballett	Musik	Premierendatum
Der Pagodenprinz	Benjamin Britten	6. 11. 1960
Divertimento	Wolfgang Amadeus Mozart	16. 3. 1961
Familienalbum	William Walton	16. 3. 1961
Intermezzo	George Shearing/Peggy Lee	16. 3. 1961
The Lady and the Fool	Giuseppe Verdi, arrangiert von Charles Mackerras	8. 11. 1961
Katalyse	Dimitri Schostakowitsch	8. 11. 1961
Antigone	Mikis Theodorakis	8. 11. 1961
Scènes de ballet	Igor Strawinsky	10. 6. 1962
Coppélia	Léo Delibes	10. 6. 1962
Die Jahreszeiten	Alexander Glasunow	15. 7. 1962
Daphnis und Chloe	Maurice Ravel	15. 7. 1962
Romeo und Julia	Serge Prokofieff	2. 12. 1962
Wir reisen nach Jerusalem	Kurt-Heinz Stolze	27. 4. 1963
L'estro armonico	Antonio Vivaldi	27. 4. 1963
Variationen	Yngve Trede	13. 7. 1963
Schwanensee	Peter I. Tschaikowsky	14. 11. 1963
Der Feuervogel	Igor Strawinsky	20. 5. 1964
La source	Léo Delibes	30. 5. 1964
Hommage a Bolschoi	Alexander Glasunow	30. 5. 1964
Bouquet garni	Benjamin Britten	22. 1. 1965
Jeu de cartes	Igor Strawinsky	22. 1. 1965
Onegin	Peter I. Tschaikowsky, eingerichtet und instrumentiert von Kurt-Heinz Stolze	13. 4. 1965
Raymonda	Alexander Glasunow	3. 6. 1965
Jeux de vagues	Claude Debussy	3. 6. 1965
Opus I	Passacaglia op. 1 von Anton v. Webern	7. 11. 1965
Konzert für Flöte und Harfe	Wolfgang Amadeus Mozart	26. 3. 1966
Pas de quatre	Michail Glinka	6. 4. 1966
Der Nußknacker	Peter I. Tschaikowsky	4. 12. 1966
Die Befragung	Bernd-Alois Zimmermann	12. 2. 1967
Katalyse	Dimitri Schostakowitsch	12. 2. 1967
Oiseaux exotiques	Olivier Messiaen	5. 5. 1967
Quatre images	Maurice Ravel	13. 5. 1967
Holbergs Zeiten	Edvard Grieg	13. 5. 1967
Onegin (Neufassung)	Peter I. Tschaikowsky	27. 10. 1967
Fragmente	Hans Werner Henze	30. 5. 1968
Présence	Bernd-Alois Zimmermann	30. 5. 1968
Kyrie eleison	Johann Sebastian Bach, instrumentiert von Kurt-Heinz Stolze	30. 5. 1968
Suite aus »Salade«	Darius Milhaud	1. 6. 1968
Der Widerspenstigen Zähmung	Kurt-Heinz Stolze nach Domenico Scarlatti	16. 3. 1969
Brouillards	Claude Debussy	8. 3. 1970
Poème de l'extase	Alexander Skrjabin, Orchesterfassung von Wolfgang Fortner	24. 3. 1970
Orpheus	Igor Strawinsky	6. 6. 1970
Cous, coudres, corps & cœurs	Igor Strawinsky	17. 6. 1970
Ballade	Gabriel Fauré	17. 6. 1970
Ebony Concerto	Igor Strawinsky	29. 12. 1970
Carmen	Bizet-Collagen von Wolfgang Fortner	28. 2. 1971
Die Jahreszeiten	Alexander Glasunow	2. 4. 1971
Into the Cool	Stan Getz, arrangiert von Eddi Sauter	19. 12. 1971
Initialen R.B.M.E.	Johannes Brahms	19. 1. 1972
Pineapple Poll	Arthur Sullivan	17. 6. 1972
Gesang der Nachtigall	Igor Strawinsky	17. 6. 1972
Legende	Henri Wieniawski	26. 6. 1972
– 1 + 6	Joseph Haydn	29. 6. 1972
Ariel	Emmanuel Chabrier	29. 6. 1972
Schwanensee (Neufassung)	Peter I. Tschaikowsky	22. 12. 1972
Spuren	Gustav Mahler	7. 4. 1973
Green	Claude Debussy	7. 4. 1973

Bildverzeichnis

Die Ziffern in Kursivschrift beziehen sich auf die Seiten

Frontispiz: John Cranko
6 John Cranko, 1973
8/9 »Der Pagodenprinz«, Stuttgarter Premiere 1960
11 John Cranko, Micheline Faure und Alfredo Köllner vor der Premiere »Der Pagodenprinz« in Stuttgart, 1960
12 »The Lady and the Fool«, Marcia Haydée und Ray Barra, 1961
15 Nach dem Gala-Abend der Stuttgarter Ballettwoche 1962 beim Applaus: John Cranko, Yvette Chauvirée und Rudolph Nurejew
16 Szenenbild »Katalyse«
19 John Cranko im Foyer der Württ. Staatstheater Stuttgart, 1969
20 John Cranko, Margot Fonteyn und Kenneth MacMillan in der Künstlerkantine der Württ. Staatstheater, bei einer Vorbesprechung für Crankos »Poème de l'extase« und MacMillan's »Fräulein Julie«, 1970
23 Applaus für John Cranko nach einer Aufführung »Der Widerspenstigen Zähmung« von seinen Tänzern. Von links: Reid Anderson, Anne Woolliams, Gudrun Lechner, John Cranko, Birgit Keil, Heinz Clauss, Marcia Haydée, Friedrich Lehn, Richard Cragun und das Corps de ballet, 1972
24 John Cranko und Dieter Gräfe bei einer Arbeitspause in der Künstlerkantine der Württ. Staatstheater, 1972
27 John Cranko mit seinem russischen Kollegen Juri Grigorovitch bei einer Begegnung in Moskau, 1972
28 John Cranko mit Galina Ulanova im Gespräch anläßlich des Rußland-Gastspiels des Stuttgarter Balletts, 1972
33 Szene aus dem Ballett »Pineapple Poll«, Uraufführung in London 1951, Premiere in Stuttgart 1972. Mit Barry Ingham als Captain Belaye, Elisabeth Parker als Blanche und Ludmilla Bogart als Mrs. Dimple
34 Gastspiel in Bonn: Begrüßung durch Bundespräsident Walter Scheel für John Cranko, Marcia Haydée und die gesamte Compagnie, 1972
37 John Cranko bei einer Bühnenprobe zu seinem letzten Ballett »Spuren«, 1973
41 »Romeo und Julia«, Marcia Haydée als Julia, John Neumeier als Paris, Ball im Hause Capulet
42 »Romeo und Julia«, Birgit Keil als Julia, Heinz Clauss als Romeo, in Julias Zimmer
43 »Romeo und Julia«, Marcia Haydée als Julia, Ray Barra als Romeo, in Julias Zimmer
44 »Romeo und Julia«, Egon Madsen als Mercutio, Richard Cragun als Romeo, David Sutherland als Benvolio, Sterbeszene des Mercutio
45 »Romeo und Julia«, Corps de ballet, Marktszene
46 »Romeo und Julia«, Joyce Cuoco als Julia, Egon Madsen als Romeo, in Julias Zimmer
47 »Romeo und Julia«, Marcia Haydée als Julia, Richard Cragun als Romeo, Sterbeszene in der Gruft
48 »Der Feuervogel«, Marcia Haydée als Feuervogel, Ray Barra als Zarewitsch
49 »Hommage à Bolschoi«, Marcia Haydée und Richard Cragun, Pas de deux
50 »Schwanensee«, Anita Cardus als Odette, Egon Madsen als Prinz Siegfried
51 »Schwanensee«, Leigh-Ann Griffiths als Großer Schwan und Corps de ballet

52/53 »Schwanensee«, Birgit Keil als Odette, Richard Cragun als Prinz Siegfried, Corps de ballet
54 »Schwanensee«, oben: Susanne Hanke als Odette, Richard Cragun als Prinz Siegfried, Corps de ballet. Unten: Richard Cragun als Prinz Siegfried und die Bürgerinnen Judith Reyn, Lucia Isenring, Catherine Prescott
55 »Schwanensee«, Corps de ballet
56 »Jeu de cartes«, Birgit Keil als Herz-Dame und Egon Madsen als Joker
57 »Jeu de cartes«, Egon Madsen als Joker, Corps de ballet
58/59 »Jeu de cartes«, Birgit Keil als Herz-Dame mit David Sutherland (Herz-Sieben), Andrew Oxenham (Karo-Sieben), Marc Neal (Pik-Zehn) und Kurt Speker (Kreuz-Zehn)
60 »Der Nußknacker«, Marcia Haydée als Lene, Egon Madsen als Konrad
61 »Der Nußknacker«, Pas de trois im 3. Akt, Judith Reyn, Susanne Hanke, Bernd Berg
62/63 »Der Nußknacker«, Pas de huit im 2. Akt, Corps de ballet
64 »Présence«, Marcia Haydée als Molly Bloom, Richard Cragun als Roy Ubu, Heinz Clauss als Don Quichote
65 »Die Befragung«, Marcia Haydée, Kristine Elliott, Egon Madsen
66 »Opus 1«, oben: Richard Cragun und Corps de ballet. Unten: Birgit Keil, Richard Cragun
67 »Opus 1«, Bernd Berg, Birgit Keil und Corps de ballet
68 »Opus 1«, Birgit Keil, Richard Cragun
69 »Konzert für Flöte und Harfe«, Judith Reyn und Corps de ballet
70/71 »Konzert für Flöte und Harfe«, Corps de ballet
72 John Cranko bei der Arbeit im Ballettsaal mit Marcia Haydée, Heinz Clauss und anderen Tänzern
73 »Onegin«, Marcia Haydée als Tatjana, Ray Barra als Onegin in der Abschiedsszene
74 »Onegin«, Marcia Haydée als Tatjana, Heinz Clauss als Onegin im Traum-Pas de deux
75 »Onegin«, oben: Joyce Cuoco als Olga, Richard Cragun als Lenski und Corps de ballet, im 1. Akt, auf dem Land. Unten: Egon Madsen als Lenski, vor dem Duell, Solo
76/77 »Onegin«, Corps de ballet, Mädchentanz im Garten von Madame Larina
78 »Onegin«, Lucia Isenring als Olga, Richard Cragun als Onegin, Egon Madsen als Lenski, Ball bei Madame Larina
79 »Onegin«, Corps de ballet, Ball in St. Petersburg
80 »Onegin«, oben: Sylviane Bayard als Olga, Kurt Speker als Lenski, Ruth Papendick als Madame Larina, Hella Heim als Amme, Szene auf dem Land. Unten: Marcia Haydée als Tatjana, Reid Anderson als Fürst Gremin, Ball in St. Petersburg
81 »Onegin«, Marcia Haydée als Tatjana, Heinz Clauss als Onegin in der Abschiedsszene
82 »Der Widerspenstigen Zähmung« entsteht: John Cranko mit Marcia Haydée und Richard Cragun im Ballettsaal bei der Einstudierung, 1969
83 »Der Widerspenstigen Zähmung«, Birgit Keil als Bianca, Jan Stripling als Lucentio, Jiri Kylian als Hortensio, Egon Madsen als Gremio, Pas de quatre im 1. Akt
84 »Der Widerspenstigen Zähmung«, Birgit Keil als Katharina, Vladimir Klos als Petrucchio, Pas de deux im 2. Akt

85 »Der Widerspenstigen Zähmung«, Richard Cragun als Petrucchio und Corps de ballet, Schluß des 1. Aktes nach der Hochzeit

86 »Der Widerspenstigen Zähmung«, Judith Reyn als Bianca, Bernd Berg als Lucentio, Pas de deux im 1. Akt

87 »Der Widerspenstigen Zähmung«, Ruth Papendick als Freudenmädchen, Egon Madsen als Gremio im 2. Akt

88 »Der Widerspenstigen Zähmung«, Marcia Haydée als Katharina, Richard Cragun als Petrucchio, Pas de deux im 2. Akt

89 »Der Widerspenstigen Zähmung«, links: Marcia Haydée als Katharina, Richard Cragun als Petrucchio, Pas de deux im 2. Akt. Rechts: Marcia Haydée als Katharina, Richard Cragun als Petrucchio, »Zähmungs-Pas de deux« im 1. Akt

90 Im Ballettsaal: John Cranko inmitten seiner Tänzer bei einer Aussprache vor dem Abflug nach den USA, 1969. Neben Cranko: Ballettmeisterin Anne Woolliams

91 John Cranko und Marcia Haydée beim Abflug in Stuttgart zum 1. Gastspiel des Stuttgarter Balletts an der Metropolitan Opera, New York, USA, 1969

92 Überwältigt vom Erfolg: Marcia Haydée und John Cranko, dahinter Walter Erich Schäfer, nach der ersten »Onegin«-Aufführung in New York, 1969

93 John Cranko und sein Corps de ballet nach dem ersten großen Erfolg von »Onegin« in New York, 1969

94/95 »Brouillards«, Birgit Keil, Vladimir Klos und Heinz Clauss in »Des pas sur la neige«

96 »Brouillards«, Egon Madsen und Susanne Hanke in »Bruyères«

97 »Brouillards«, Corps de ballet

98 John Cranko, Marcia Haydée und Impresario Thomas Erdos bei einer Kaffeepause in Monte Carlo, beim Gastspiel des Stuttgarter Balletts 1970

99 John Cranko, 1972

100 »Carmen«, Marcia Haydée als Carmen, Egon Madsen als Don José. Pas de deux im Schmugglerlager

101 »Carmen«, oben: Marcia Haydée als Carmen, Richard Cragun als Stierkämpfer, Corps de ballet, Szene in der Schenke. Unten: Birgit Keil als Carmen, Corps de ballet, Schmugglerszene

102 »Ebony Concerto«, Judith Reyn, Egon Madsen, Heinz Clauss

103 »Ebony Concerto«, Marcia Haydée, Egon Madsen, Heinz Clauss

104 John Cranko auf Reisen im Flugzeug, 1971

105 John Cranko mit Ballettmeister Alan Beale und Dirigent Friedrich Lehn in Jerusalem, beim Gastspiel des Stuttgarter Balletts in Israel, 1970

106 »Poème de l'extase«, oben: Margot Fonteyn als »Die Schöne«, Egon Madsen als Jüngling, Richard Cragun als eine der vier Visionen. Unten: Marcia Haydée als »Die Schöne«, Egon Madsen als Jüngling

107 »Poème de l'extase«, Margot Fonteyn als »Die Schöne«, Jan Stripling und Richard Cragun als Visionen

108/109 »Poème de l'extase«, Marcia Haydée als »Die Schöne« und ihre vier Visionen: Richard Cragun, Heinz Clauss, Jan Stripling, Bernd Berg

110 »Holberg's Zeiten«, Pas de deux, Birgit Keil und Heinz Clauss

111 »The Lady and the Fool«, Egon Madsen als Mondhündchen, David Sutherland als Stiefelgesicht

112/113 »The Lady and the Fool«, Marcia Haydée als La Capricciosa, Reid Anderson als Capitano Adoncino, Heinz Clauss als Prinz von Arroganza und das Corps de ballet

114 John Cranko im Ballettsaal mit Hund Artus, Ende 1970

115 »L'estro armonico«, Joyce Cuoco und Corps de ballet

116 »L'estro armonico«, Birgit Keil, Reid Anderson

117 »L'estro armonico«, Michael Sanchez, Dieter Ammann, Reid Anderson

118/119 John Cranko bei einer Probenbesprechung im Ballettsaal mit seinen Mitarbeitern: Inspizient Gerd Praast, Choreologin Georgette Tsinguirides, Korrepetitorin Lore Eisfeld, Ballettmeister Alan Beale. Daneben die Tänzer Vladimir Klos und Richard Cragun

120 »Initialen R.B.M.E.«, Marcia Haydée und Vladimir Klos im 3. Satz des Brahms-Konzerts

121 »Initialen R.B.M.E.«, Marcia Haydée, Heinz Clauss und Corps de ballet im 3. Satz

122/123 »Initialen R.B.M.E.«, die Initialen R = Richard Cragun, B = Birgit Keil, M = Marcia Haydée, E = Egon Madsen und das Corps de ballet

124/125 »Initialen R.B.M.E.«, Corps de ballet

126 »Die Jahreszeiten«, Birgit Keil als Das Jahr, Der Winter: Marcis Lesins, Susanne Hanke, Leigh-Ann Griffiths, Reid Anderson und Vladimir Klos

127 John Cranko im Ballettsaal, 1972

128/129 Beim Gastspiel des Stuttgarter Balletts in der UdSSR besuchten John Cranko (Bildmitte) und sein Ensemble das weltberühmte Kirow-Tanzarchiv in Leningrad, 1972

130 John Cranko, 1972

131 »Spuren«, Marcia Haydée und Heinz Clauss

132 »Spuren«, Marcia Haydée und Richard Cragun, Corps de ballet

133 »Spuren«, Schluß-Szene, Marcia Haydée und Heinz Clauss